Katzen

Artgerecht
halten und glücklich
zusammenleben **verstehen**

Katzen
verstehen

Artgerecht
halten und glücklich
zusammenleben

Bruce Fogle

Impressum

Genehmigte Sonderausgabe 2012

Dorling Kindersley Verlag GmbH, München
Bereich Sondervertrieb

www.dorlingkindersley.de

Originaltitel: Bruce Fogle: *Katzen richtig verstehen*
ISBN 978-3-8310-1169-8

Titel der englischen Originalausgabe:
If your Cat could talk

© Dorling Kindersley Limited, London, 1992, 2007
Ein Unternehmen der Penguin-Gruppe
Text © Bruce Fogle, 1992, 2007

© der deutschsprachigen Ausgabe by
Dorling Kindersley Verlag GmbH, München, 2008
Alle deutschsprachigen Rechte vorbehalten

Übersetzung: Dr. Andrea Kamphuis

Herstellung: bookwise GmbH, München
Druck und Bindung: Firmengruppe Appl, aprinta Druck, Wemding

Inhalt

Einleitung

JÄGER UND AASFRESSER Katzen sind jederzeit in der Lage, ihr Erbe als geschickte Jäger zu reaktivieren. Sie jagen selbst dann noch Nagetiere und Vögel, wenn sie genug anderes Futter erhalten.

SCHÖN, ABER UNHEIMLICH
Jahrhundertelang hatten Katzen eine ziemlich »schlechte Presse«. Zum Glück änderte sich diese Wahrnehmung, und inzwischen sind Katzen die beliebtesten Haustiere weltweit.

Katzen sind selbstgenügsam, selbstbeherrscht, unabhängig und kräftig. Sie bewegen sich geschmeidig und nahezu lautlos. Die Hauskatze ist ein prächtiges, elegant gebautes Tier, wendiger als der Hund oder jedes andere Haustier und bis ins hohe Alter aktiv.

Aber so schön und faszinierend Katzen auch sind: Oft missverstehen wir sie, weil sie sich – noch viel mehr als Hunde – in vielerlei Hinsicht von uns unterscheiden. Ich bin mir nicht sicher, ob wir wirklich gerne wüssten, was Katzen über uns sagen würden, wenn sie sprechen könnten. Wer mit Katzen lebt, wird mir zustimmen, dass wir bestimmt nicht nur Schmeichelhaftes und Liebevolles, sondern mindestens ebenso viele heftige Kraftausdrücke zu hören bekämen. Man kann auch davon ausgehen, dass die Tiere recht wortkarg wären, denn sie haben ihre Gefühle

RASSENUNTERSCHIEDE Nicht nur das Aussehen von Katzen lässt sich durch gezielte Zuchtbemühungen manipulieren: Auch die Persönlichkeit kann man verändern.

viel besser im Griff als wir. Hunde würden vielleicht in blumigen Adjektiven schwelgen; Katzen würden schlichte Prosa bevorzugen.

EINE JUNGE BEZIEHUNG

Hunde und Menschen sind gesellige Rudeltiere. Beide Spezies haben im Laufe ihrer Evolution ein vertrauensvolles Verhältnis zu ihren Artgenossen entwickelt und sind gerne mit ihnen zusammen. In diesem Prozess hat sich ein breites, dynamisches Spektrum an körpersprachlichen Signalen zum Kontaktaufnehmen und Kennenlernen herausgebildet: Wir lächeln

und winken. Hunde suchen Blickkontakt, legen die Ohren zurück und wedeln mit dem Schwanz. Katzen hingegen haben eine andere Evolutionsgeschichte. Sie stecken noch mitten in der Entwicklung vom einzelgängerischen Jäger zum geselligeren Gruppenwesen. Sie sind erst vor 5 000 Jahren, später als alle anderen Nutztiere, domestiziert worden. Ihre Zahl war zwar beachtlich, aber in etwa konstant, bis sie in der zweiten Hälfte des letzten Jahrhunderts plötzlich unsere liebsten Haustiere wurden. In der EU gibt es heute mehr als 80 Millionen, in den USA noch

einmal genauso viele. In weiten Teilen der Ersten Welt sind sie beliebter als Hunde. Einschließlich aller Hauskatzen in Afrika, Asien, Australien, Mittel- und Südamerika leben weltweit wohl über 200 Millionen dieser Tiere in menschlicher Obhut, und noch einmal so viele dürften streunen. Keine andere Katzenart war je so erfolgreich wie die Hauskatze.

Eine Katze sein

1

Faszinierende Sinne

KÖRPERLICHE GEWANDTHEIT Die Feinmotorik ihrer Extremitäten haben Katzen besser im Griff als viele andere Haustiere. Statt mit einem abspreizbaren Daumen zu greifen wie die Primaten, strecken Katzen die beweglichen Klauen aus, um etwas festzuhalten.

Es kann schwierig sein, sich in eine Katze hineinzuden-ken. Wir haben zwar die meisten Sinne gemeinsam – sehen, riechen, schmecken, hören –, sie funktio-nieren bei der Katze aber etwas anders als bei uns. Zudem werden sie durch weitere Fähigkeiten ergänzt, die uns fremd sind: Kat-zen können Wasser schmecken, mit ihrem Vomeronasalorgan das Geschlecht erschnuppern und sich

perfekt in einer dreidimensionalen Welt orientieren und bewegen. Ihre Katze beherrscht noch alles, was ihre nordafrikanischen Vorfahren konnten. Sie hört besser als wir, vor allem hochfrequente Geräu-sche wie Mäusequieken. Sie riecht mehr – nicht nur, um Futter zu finden und seine Frische zu prüfen, sondern auch, um gefährlichen Tieren auszuweichen. Die großen Augen haben stark vergrößerbare Pupillen, um auch in der Dämme-rung noch jagen zu können, und eine reflektierende, spiegelartige

HOCH HINAUS Mit allen vieren stößt sich das Kätzchen ab, um hochzuspringen. In der Luft fährt es die Krallen aus, um sich später festzuklammern. Solche Sätze wird es später einsetzen, um Vögel oder Fluginsekten zu fangen.

Schicht hinter der Netzhaut, die das eingefallene Licht verstärkt. Umgekehrt ziehen sich die Pupillen bei hellem Licht zu Schlitzen zusammen, die wie die Schneebrillen der Inuit funktionieren. Mit den hoch entwickelten Sinnen eines erfolgreichen kleinen Raubtiers beobachten Katzen ihre Umwelt genauer als wir. Sie registrieren sogar Veränderungen in unserer Körpersprache, die uns selbst nicht bewusst sind.

GEBORENE AKROBATEN Auf einem Schwebebalken zu laufen ist für uns ein Kunststück. Da die Gleichgewichtsorgane in den Ohren der Katze sehr schnell reagieren, kann sie hingegen schon im Alter von zwölf Wochen perfekt balancieren.

Lernzentren im Gehirn

Als geborener Jäger muss sich die Katze auf ihre Wahrnehmungen verlassen können. Entsprechend gut sind jene Teile des Gehirns entwickelt, in denen Sinneseindrücke verarbeitet werden. Alle Sinne und hormonproduzierenden Drüsen schicken Informationen ans Gehirn, wo sie ausgewertet und zu Handlungsanweisungen an den Körper verarbeitet werden. Ihr Nervensystem ermöglicht der Katze eine fast verzögerungsfreie Reaktion auf externe Reize. Ein Katzenhirn besteht aus Milliarden von Nervenzellen (Neuronen), in denen die Signale mit einer Geschwindigkeit von bis zu 390 km/h weitergeleitet werden.

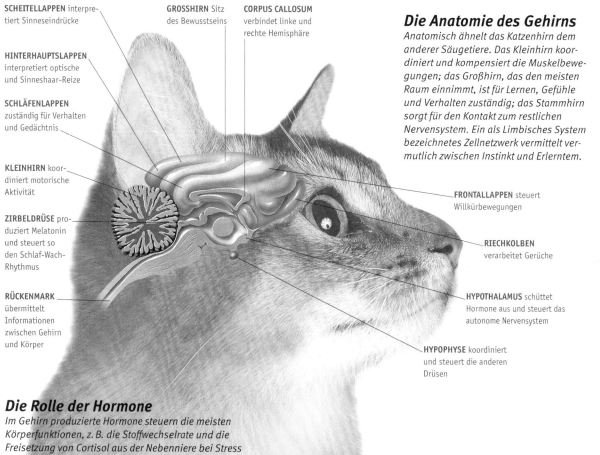

SCHEITELLAPPEN interpretiert Sinneseindrücke

HINTERHAUPTSLAPPEN interpretiert optische und Sinneshaar-Reize

SCHLÄFENLAPPEN zuständig für Verhalten und Gedächtnis

KLEINHIRN koordiniert motorische Aktivität

ZIRBELDRÜSE produziert Melatonin und steuert so den Schlaf-Wach-Rhythmus

RÜCKENMARK übermittelt Informationen zwischen Gehirn und Körper

GROSSHIRN Sitz des Bewusstseins

CORPUS CALLOSUM verbindet linke und rechte Hemisphäre

FRONTALLAPPEN steuert Willkürbewegungen

RIECHKOLBEN verarbeitet Gerüche

HYPOTHALAMUS schüttet Hormone aus und steuert das autonome Nervensystem

HYPOPHYSE koordiniert und steuert die anderen Drüsen

Die Anatomie des Gehirns

Anatomisch ähnelt das Katzenhirn dem anderer Säugetiere. Das Kleinhirn koordiniert und kompensiert die Muskelbewegungen; das Großhirn, das den meisten Raum einnimmt, ist für Lernen, Gefühle und Verhalten zuständig; das Stammhirn sorgt für den Kontakt zum restlichen Nervensystem. Ein als Limbisches System bezeichnetes Zellnetzwerk vermittelt vermutlich zwischen Instinkt und Erlerntem.

Die Rolle der Hormone

Im Gehirn produzierte Hormone steuern die meisten Körperfunktionen, z. B. die Stoffwechselrate und die Freisetzung von Cortisol aus der Nebenniere bei Stress oder Gefahr. Die Produktion von Sexualhormonen, Eiern und Sperma wird vom Follikelstimulierenden Hormon bzw. Luteinisierenden Hormon gesteuert.

KÖNNEN KATZEN DENKEN?

• Dr. Temple Grandin, Tierverhaltensexpertin an der Veterinär-medizinischen Fakultät der Colorado State University, hat Autismus. Menschen, die unter dieser neurologischen Störung leiden, sind in sich selbst versunken und unfähig, soziale Beziehungen einzugehen. Dr. Grandin sagt, dass sie aufgrund ihres Autismus ein besonderes Verständnis für Katzen entwickeln konnte. Sie glaubt, dass Katzen – ähnlich wie Autisten – in Empfindungen, Bildern, Gerüchen und Geräuschen denken. Sicher ist, dass Katzen einfache Probleme lösen können: Die ersten Käfige in meiner Klinik hatten zwei Türriegel, aber viele Katzen hatten schon nach wenigen Stunden den Dreh heraus, beide Riegel zugleich mit zwei Pfoten zu öffnen. Ich musste den Abstand vergrößern, um Ausbrüche zu vermeiden.

MULTIPLE INTELLIGENZEN

Die meisten Naturwissenschaftler sind sich einig, dass es mehrere Arten von Intelligenz gibt. Bei Menschen unterscheidet man im Allgemeinen acht Formen:

1. sprachlich
2. logisch-mathematisch
3. musikalisch-rhythmisch
4. bildlich-räumlich
5. körperlich-kinästhetisch
6. naturalistisch
7. interpersonal
8. intrapersonal/emotional

Dieses Konzept lässt sich zum Teil übertragen: Die letzten fünf Formen der Intelligenz tauchen auch bei Katzen auf. Ich glaube, dass eine Katze in ihrem Gehirn Lernzentren hat, die jeweils für bestimmte Fähigkeiten zuständig sind. Einige Beispiele:

• die herausragende Fähigkeit, sich in recht großen Revieren zurechtzufinden: **Form 4**;
• ein natürliches Verständnis für Bewegung und Kräfte, also Mechanik: **Form 5**;
• die Fähigkeit, sich einen Lebensraum zu suchen, der sicher und ergiebig ist: **Form 6**;
• ein wacher Sinn für Gefahren, Selbstverteidigung und Vorsichtsmaßnahmen: **Form 6**;
• die Fähigkeit zu beurteilen, was genießbar ist und was nicht: **Form 6**;
• ein angeborenes Verständnis für das Verhalten anderer Tiere; die Fähigkeit, aus ihrem anfänglichen Tun auf ihre nächsten Schritte zu schließen: **Form 7**;
• die intuitive Neigung, Reviere abzulaufen, zu erkunden und zu markieren: **Form 7**;
• Verständnis für die Bedeutung familiärer Bindungen, vor allem der Mutter-Kind-Beziehung: **Form 7**;
• ein Gespür für die Wichtigkeit der Körperpflege: **Form 8**.

Körperliche Gewandtheit

Die Feinmotorik ihrer Extremitäten haben Katzen besser im Griff als viele andere Haustiere. Statt mit einem abspreizbaren Daumen zu greifen wie die Primaten, strecken Katzen die beweglichen Klauen aus, um etwas festzuhalten.

Katzenaugen

Die Augen zählen zu den markantesten und faszinierendsten Organen Ihrer Katze. Wie es sich für einen Schleichjäger gehört, sind sie darauf optimiert, möglichst viel Licht einzufangen. Die Hornhaut ist gekrümmt, und die Linse ist im Vergleich zum restlichen Auge sehr groß. Im Dämmerlicht, bei Erregung oder Furcht weiten sich die Pupillen. Im Hellen können sie sich zu kaum noch sichtbaren Schlitzen zusammenziehen: die praktischsten und effizientesten Sonnenbrillen in der Natur.

Pupillen zu schmalen Schlitzen zusammengezogen

Perfekter Blendschutz
Mit strichdünnen Pupillen kann diese Katze in die Sonne schauen, ohne ihre Netzhaut zu schädigen. Die Muskulatur der Iris passt die Form der Pupille an die Lichtverhältnisse an. In grellem Licht schließt sich die Pupille in der Mitte ganz, sodass oben und unten nur zwei winzige Schlitze bleiben.

AUGEN-KRANKHEITEN

• Wenn zwei Katzen sich um ein Revier streiten, verletzen sie sich oft am Kopf. Die hervorstehenden Augen sind besonders empfindlich. Eindringende Bakterien verursachen Bindehautentzündungen. Risse oder Löcher in der Hornhaut kommen seltener vor. Die Nickhaut fängt oft die schlimmsten Schläge ab. Häufiger als solche Kampfwunden sind ansteckende Virus- oder Bakterieninfektionen, die zu bleibenden Hornhautschäden führen können. Einige übertragbare Krankheiten lassen sich mit Impfungen verhindern.

»Sehe ich aus wie ein Außerirdischer?«

Nachtsicht
In schwachem Licht weiten sich die Pupillen der Katze kreisförmig, damit möglichst viel Licht einfällt. Dass Katzen im Stockfinstern sehen könnten, ist ein Irrglaube. Im Dämmerlicht funktionieren ihre Augen aber sehr gut, was die Jagd am frühen Morgen und am Abend erleichtert.

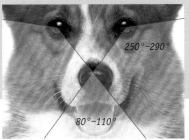

BINOKULARES SEHEN

• Wo sich die Gesichtsfelder beider Augen überlappen, sieht ein Tier räumlich. Dieses dreidimensionale Sehen ist für Raubtiere unentbehrlich, denn nur so können sie Entfernungen genau einschätzen.

KATZE Schaut eine Katze nach vorn, so ist ihre Sicht in einem 130°-Winkel binokular. Insgesamt deckt die Sicht 285° ab.

HUND Bei Hunden sitzen die Augen weiter seitlich am Kopf. Ihre Gesichtsfelder überlappen sich vorne höchstens um 110°.

Was Ihre Katze sieht

Katzen sehen Grün und Blau, aber kein Rot. Das ist kein Problem, da sie Beute und Futter eher nach dem Geruch und Geschmack beurteilen als nach der Farbe. Die Bildmitte ist gestochen scharf, die Peripherie leicht verschwommen. Das Bild rechts soll den Unterschied zwischen dem Sehvermögen des Menschen und der Katze visualisieren. Katzen können schnell bewegliche Objekte im Fokus behalten, da der Kopf wegen ihrer Wendigkeit beim Laufen stets auf einer Ebene bleibt.

MENSCH
ganzes Bild
scharf

KATZE
Katzen fokussieren
auf die Bildmitte

Menschen
nehmen Rot wahr

Bildrand
verschwommen

»Ich erkenne dich auch im Dunkeln.«

Pupillen weit geöffnet, maximales Gesichtsfeld

Abrupte Weitung

Sobald ihr Verteidigungs- und Fluchtreflex aktiviert wird, weiten sich die Pupillen Ihrer Katze. So dehnt sich das Gesichtsfeld aus, und die Katze erkennt potenzielle Gefahren besser.

Balance und Gehörsinn

Die schlafwandlerische Sicherheit, mit der Ihre Katze stets auf die Füße fällt, hängt unmittelbar mit ihrem scharfen Gehör zusammen. Tief im Ohr verbirgt sich der flüssigkeitsgefüllte Vestibularapparat, der mit einer Gallerte voller winziger Kristalle und mit Millionen von Sinneshaaren ausgekleidet ist. Diese werden blitzschnell von der Schwerkraft gekrümmt, sodass die Katze ihren Körper im Fall rechtzeitig aufrichten kann. Sie hört auch besser als Hunde oder Menschen. Ihre Katze kann sogar das Motorgeräusch Ihres Wagens von dem eines baugleichen anderen Autos unterscheiden.

Kopf dreht
sich zuerst

locker verbundene
Wirbel ermöglichen
180-Grad-Drehung

1 Erste Orientierung
Während sie fällt, ermittelt diese Katze, wo oben und wo unten ist. Die Signale aus dem Vestibularapparat erreichen zunächst den Kopf, der sich aufrichtet.

2 Torsion
Sobald Kopf und Ohren die richtige Haltung eingenommen haben, kann die Katze sich wieder orientieren. Sie verdreht die Taille, sodass die Vorderhälfte für die Landung bereit ist, während die Hinterbeine noch nach oben zeigen.

Impuls zum Drehen
ist an den Hinterbein-
muskeln angekommen

Ohren einzeln
drehbar

Geräusche orten
Die natürliche Beute der Katze verbirgt sich oft in hohem Gras. Indem sie ihre Ohren dreht, kann die Katze Schallquellen genau anpeilen und die Geräusche direkt auf die Trommelfelle leiten, bis sie weiß, wohin sie springen muss. Über 20 Muskeln pro Ohr ermöglichen ihr diese exakte Bewegungssteuerung.

3 Aufprall abfangen
Vor der Landung werden die Vorderbeine ausgestreckt. Da sie keine starre Verbindung zum Körper haben, absorbieren sie den Stoß und verhindern so Verletzungen. Jetzt empfängt auch der Hinterkörper das Signal zum Drehen.

VESTIBULARAPPARAT

• Die kleinen, flüssigkeitsgefüllten Kammern und Kanäle des Gleichgewichtsorgans im Innenohr sind mit Millionen Sinneshaaren und schwebenden Mini-Kristallen ausgekleidet. Rührt sich die Katze, so registrieren die Härchen die Bewegung der Flüssigkeit und der Kristalle und schicken Signale ans Gehirn, das dem Körper Orientierungsbefehle erteilt. Infektionen und Chemikalien können den Vestibularapparat schädigen.

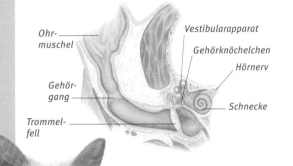

Ohr-muschel — Vestibularapparat — Gehörknöchelchen — Hörnerv — Gehör-gang — Trommel-fell — Schnecke

Von Geburt an taub

Diese weiße Katze hat einen genetischen Defekt. Sie dreht weder den Kopf noch ihre Ohren in Richtung eines Geräuschs. Weiße Katzen mit einem blauen und einem gelben Auge sind oft nur auf der »blauen Seite« taub.

»Eine perfekte Landung. Wie immer!«

ausgestreckte Vorder-beine treffen zuerst auf dem Boden auf

Mit den Füßen voran

Die Katze hat die Drehung ihres Körpers abgeschlossen und konzentriert sich nun auf die Landebahn vor den Vorderpfoten. Die meisten Muskeln sind entspannt, da angespannte Muskeln leichter reißen. Sie landet sicher auf ihren Pfoten.

Vorderbeine dienen als Stoß-dämpfer

Riechen und Schmecken

Ihre Katze hat doppelt so viele Riechrezeptoren in ihrer Nase wie Sie. Mit ihnen sammelt sie Informationen über Nahrung, andere Katzen und potenzielle Gefahren. Der Geruch verrät ihr, ob ein Revier einem Kater gehört oder ob eine Kätzin rollig ist. Was Ihre Katze frisst, hängt eher vom Geruch als vom Geschmack ab, und sie wird nie in etwas hineinbeißen, ohne vorher daran zu schnüffeln. Ihre empfindlichen Geschmacksknospen unterscheiden zwischen salzig, bitter und sauer, aber Süßes schmeckt sie nicht. Wenn sie Schokolade mag, dann wegen einer unbewussten Konditionierung oder als Folge unserer Zuchtbemühungen.

nach hinten weisende Stacheln für die Fellpflege und um Fleisch von den Knochen zu kratzen

»Mit meiner Zunge kämme ich mein Fell.«

Schnuppern unterscheidet sich deutlich vom normalen Atmen

Prinzip Fusselbürste

Die Zunge ist lang, kräftig und flexibel. Die sandpapierartige Stachelfläche wird beim Putzen eingesetzt. Die Geschmacksknospen, auch solche für Wassergeschmack, sind rings um diese Fläche verteilt.

»Die riecht nicht sehr lecker.«

Geruchstest

Durch die Bewegungen angelockt, schnuppert diese Katze prüfend an der Kröte. Die meisten Katzen stellen Amphibien gerne nach und bringen sie ihren Haltern als Geschenke mit. Sie fressen sie allerdings nur, wenn es überhaupt nichts anderes gibt.

BITTERE PILLEN

• Zwar gibt es inzwischen eine Reihe »schmackhafter« Katzenmedikamente, aber es bleibt schwierig, den Arzneigeruch und -geschmack zu kaschieren. Katzen können den Milchzucker, der in vielen Tabletten verwendet wird, nicht schmecken. Manchmal kann man die Arznei in Leckereien verstecken, aber oft muss man zu einem Applikator greifen, damit die Tablette wirklich da ankommt, wo sie hin soll.

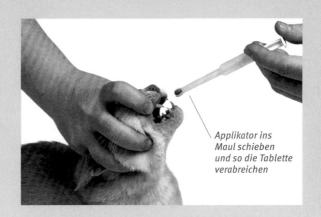

Applikator ins Maul schieben und so die Tablette verabreichen

»Ich hätte sie wohl nicht fressen sollen.«

Heftige Reaktion

Ein widerlicher Geschmack löst starken Speichelfluss aus, der das Maul schnell ausspült. Auch Arzneimittel können bei Ihrer Katze eine solche Reaktion auslösen. Falls Sie Ihrer Katze einmal Medikamente verabreichen, sollten Sie darauf achten.

GERUCHSGEDÄCHTNIS

Diese Katze schnüffelt an einem mit Katzenurin besprühten Grasbüschel und saugt Luft in ihr Vomeronasalorgan. Die Sinneszellen nehmen Pheromone wahr und senden dann elektrische Signale ans Gehirn. Dort wird die Erinnerung an den Geruch gespeichert.

Luft wird ins Vomeronasalorgan gesogen

vor Aufregung geweitete Pupillen

Aphrodisiakum

Das Schnuppern an einem mit Katzenminze imprägnierten Spielzeug kann Ihre Katze anregen. Gelangt der Geruch ins Vomeronasalorgan, so wird sich Ihre Katze genüsslich herumwälzen – wie vor oder nach einer Paarung. Nur die Hälfte aller erwachsenen Katzen riecht oder kaut gerne Katzenminze.

Der Tastsinn

Ihre Katze setzt ständig ihren Tastsinn ein, um Daten über ihre Umwelt zu sammeln. Die empfindlichsten Tastrezeptoren sitzen an der Basis der Schnurrhaare, deren Spitzen weiter auseinanderstehen, als ihr Körper breit ist. So kann Ihre Katze sich sicher fortbewegen. Die an den Schnurrhaaren gewonnenen Informationen verraten ihr etwa, ob sie durch einen schmalen Spalt hindurchpasst oder nicht. Weitere Tastrezeptoren auf dem Körper reagieren auf Druck und Texturen. Sie registrieren zum Beispiel Streicheleinheiten oder die Art der Oberfläche unter den Sohlen. Über die gesamte Haut sind außerdem Wärme- und Kälterezeptoren verteilt.

Nasengruß

Dieses Kätzchen begrüßt eine ihm bekannte Katze, indem es an ihrer Nase schnuppert. Die Berührungsrezeptoren an der Nase funktionieren schon bei der Geburt und helfen dem Kätzchen, die Mutter zu finden.

»Hallo! Wie geht es dir?«

angelegte Ohren verraten anfängliche Vorsicht

SCHNURRHAARE

• Die Tasthaare (Vibrissen) an den Augen, den Ellbogen und der Schnauze Ihrer Katze sind an der Basis von zahlreichen Nervenenden umgeben. Wenn diese antennenartigen Haare an einem Objekt entlangstreifen, leiten Nerven, die mit den Sehnerven zusammenlaufen, die Signale ins Gehirn. Sogar Luftbewegung wird erspürt, und nachts helfen die Haare, Kollisionen zu vermeiden. Fallen diese Haare aus, so stößt das Tier im Dunkeln leichter an, aber sie wachsen zum Glück nach.

Ein warmes Plätzchen

Katzen mögen Wärme und vertragen viel höhere Temperaturen als wir. Während sich Menschen schon ab einer Hauttemperatur von 44 °C unwohl fühlen und Gegenmaßnahmen ergreifen, liegt die Grenze bei Ihrer Katze bei 52 °C.

Maß nehmen

Die Signale der Schnurrhaare an der Schnauze verraten dieser Katze, ob sie ihren geschmeidigen Körper zwischen den Latten hindurchquetschen kann. Sobald der Kopf hindurch ist, richtet sie die Schnurrhaare forschend nach unten.

In Wohlgefühl baden

Dieses Kätzchen genießt die Geborgenheit und Wärme im Schoß des Mädchens. Wenn das Kätzchen älter wird, wird es eine so exponierte Lage wahrscheinlich vermeiden und sich nicht mehr ohne Weiteres am Bauch kitzeln lassen.

An der Heizung fühlt sich die Katze rundum wohl.

Klare Sprache

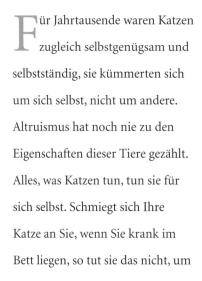

KATZENSPRACHE VERSTEHEN Zum Lautspektrum zählen sowohl stimmlose Laute wie Schnurren oder Zirpen als auch Erregungslaute wie Schreie und Fauchen. Kätzchen miauen stimmhaft, wenn sie etwas brauchen; zahme Katzen behalten dies auch später bei.

IMMER GERADEHERAUS
Katzen können ihre Gefühle hervorragend mitteilen. Ein peitschender Schwanz, ein jäher Schrei, ein Pfotenhieb: alles unmissverständliche Botschaften.

Für Jahrtausende waren Katzen zugleich selbstgenügsam und selbstständig, sie kümmerten sich um sich selbst, nicht um andere. Altruismus hat noch nie zu den Eigenschaften dieser Tiere gezählt. Alles, was Katzen tun, tun sie für sich selbst. Schmiegt sich Ihre Katze an Sie, wenn Sie krank im Bett liegen, so tut sie das nicht, um Sie zu trösten oder zu pflegen, sondern weil Sie so schön warm und weich sind.

Doch obwohl unsere Stubentiger so unabhängig und ungebunden sind, lieben wir ihre Gesellschaft und nehmen ihre Launen gern in Kauf. Von großem Vorteil ist es, wenn wir die Stimmungen unseres kleinen Freundes erkennen und richtig deuten können. Ein typischer Wesenszug der Katze ist es nämlich, ihre Gefühle über größere Distanzen hinweg sichtbar zu machen – zum Beispiel durch die Haltung der Ohren, den Blick oder aber auch Lautäußerungen.

Katzen sind Großmeister im Aussenden von »Hau ab«-Signalen. Ihre »Komm her«-Botschaften sind weniger augenfällig und daher für uns schwieriger zu deuten. Zwar haben alle Katzen gewisse Grundeigenschaften gemeinsam, aber diese formen sich – je nach Geschlecht, genetischem Erbe und früher Prägung – unterschiedlich aus. Aus diesem Grund entwickeln selbst Wurfgeschwister desselben Geschlechts unterschiedliche Persönlichkeiten. Jede Katze ist anders.

UNERGRÜNDLICH Katzen gelten oft als rätselhaft, unnahbar und unergründlich. Doch wer sich mit der Katzensprache auseinandersetzt und sie versteht, wird die Stimmungen seines Stubentigers richtig deuten können.

Die Stimme

Ihre Katze setzt die Stimme ein, um Sie zu begrüßen, Futter oder Zuwendung zu erbitten, einen Partner zu finden, sich zu beklagen oder zu beschweren und zu drohen. Auch ihre Stimmung – Wut, Empörung, Furcht, Zufriedenheit – lässt sich heraushören. Mit zwölf Wochen beherrschen Kätzchen bereits das ganze Spektrum des Katzenvokabulars, in dem wir mindestens 16 Laute unterscheiden können – Katzen vermutlich noch viel mehr. Manche Individuen oder Rassen, vor allem Siamesen, sind besonders »gesprächig«.

Bedürftiges Miauen

Diese hungrige Katze miaut klagend, um Futter einzufordern. Je nach Modulation und Tonhöhe kann dieser Laut ganz verschiedene Gefühle ausdrücken. Manchmal erkennt man nur an der Bettelhaltung, dass eine Katze miaut, denn sie kann dabei Höhen erreichen, für die unsere Ohren taub sind.

»Hilfe!
Komm schnell!«

Fauchen und Zischen

Diese Katze presst ängstlich oder wütend Luft durch die zusammengerollte Zunge aus. Für die einschüchternde Wirkung des Fauchens sind Luftdruck und Geruch ebenso wichtig wie der Klang.

Panikattacke

Das kleine Kätzchen wimmert ängstlich. Der Laut klingt ähnlich wie bei einem Baby und wird bei Hunger, Kälte oder Orientierungslosigkeit eingesetzt.

Mütterliches Brummen

Wenn die Kätzchen in Ruhe trinken, schnurrt die zufriedene Mutter rhythmisch. Wie dieser Laut genau entsteht, ist unklar; er wird wohl irgendwo hinter dem Kehlkopf erzeugt. Da der Kehlkopf selbst dafür nicht benötigt wird, kann sie gleichzeitig zirpen.

WAS KATZEN SAGEN WOLLEN

● Die Katzensprache lässt sich in drei Lautkategorien einteilen. Stimmlos sind das Schnurren und das leise Zirpen, mit dem ein Gruß oder Zufriedenheit ausgedrückt werden. Mütter schnalzen, um ihre Kleinen zu rufen. Ein stimmhaftes »miau«, »mju«, »Mlau« oder »miAU« drückt Wünsche, Beschwerden oder Verwirrung aus. Zu den Erregungslauten zählen Grollen, wütendes Geheul, Knurren, Schmerzens- oder Angstschreie, Fauchen, Zischen und der Paarungsschrei der Kätzin.

Warnendes Grummeln

Diese verärgerte Katze knurrt unzufrieden. Auf das tiefe Grollen mit zusammengebissenem Kiefer folgt ein Fauchen oder Zischen, wenn sie Schmerzen hat oder jemanden vertreiben will. Obwohl der Laut im Kehlkopf entsteht, kann das Maul geschlossen bleiben, da er nicht stimmhaft ist.

Seliges Schnurren

Behaglich auf einem Kissen ausgestreckt, schnurrt diese Katze vor Vergnügen. Solche stimmlosen Laute sind meist ein Zeichen für Zufriedenheit und Geborgenheit. Aufgeregte Katzen schnurren aber auch, um Anspannung abzubauen.

Persönlichkeiten

Jede Katze hat ein einzigartiges Wesen. Manche sind freundlich, durchsetzungsfähig und mutig, andere nervös, schüchtern und scheu. Die Persönlichkeit ist zum Teil in den Genen angelegt, doch die erblichen Charakterunterschiede zwischen den Rassen sind nicht so groß wie bei Hunden. Auch die frühen Kindheitserfahrungen sind charakterbildend. Kätzchen, die gestreichelt und beschäftigt werden, entwickeln sich eher zu selbstsicheren Gefährten. Man kann Katzen – wie Menschen – in verschiedene Typen einteilen. Die Extrovertierten sind gesellig, lebhaft und abenteuerlustig, die Introvertierten zurückhaltend, empfindlich und ängstlich.

Extrovertiertes Individuum
Scheinkämpfe und Neckereien sind zwischen lebhaften Kätzchen an der Tagesordnung. Zwar werden aus vielen extrovertierten Kätzchen ebensolche Erwachsene, aber es ist nicht immer möglich, das künftige Wesen vorherzusagen.

Immer auf der Hut
Viele introvertierte Katzen hatten als Kätzchen wenig sozialen Umgang. Vorsichtige Katzen sind zwar langsamer, stiller und weniger zugewandt, aber oft auch gelehriger und leichter zu erziehen.

besorgte Mimik

Dominantes Kätzchen

Selbstsicher und gewandt wehrt das Kätzchen den Angriff des Bruders ab. Eine extrovertierte Anlage wird durch wildes Spiel gefestigt. Dominante Kätzchen wachsen zu dominanten Katzen heran, da dieser Charakterzug bereits in den Genen angelegt ist.

RASSE UND FELLFARBE

• Manche Katzenrassen, vor allem neuere wie die Ragdoll, wurden auf ein gelassenes Temperament hingezüchtet. Zwar steht die Forschung noch am Anfang, aber es scheint, als wären exotische, orientalische Rassen lauter und kontaktfreudiger, Langhaarkatzen hingegen besonders selbstgenügsam. Bei Füchsen und Hunden hat man Wesens- und Verhaltensunterschiede zwischen goldgelben und grauen bzw. schwarzen Subpopulationen festgestellt. Bei Katzen wurden solche Zusammenhänge zwischen Fellfarbe und Charakter noch nicht nachgewiesen.

Körperkontakt wichtig bei sozialer Aktivität

»Komm mir bloß nicht zu nahe!«

Verspielter Charakter

Kätzchen kuscheln und rangeln viel und schmusen Kopf an Kopf. Nur so entwickeln sie ein normales Sozialverhalten. Wachsen sie ohne Spielgefährten heran, so weist ihr Verhaltensrepertoire später Lücken auf.

furchtsamer Ausdruck

dominante Haltung der Hinterbeine

Scheues Geschöpf

Misstrauisch und angespannt äugt dieser Einzelgänger hinter seinem Versteck hervor. Introvertierte Katzen verlieren oft in den ersten Lebenswochen ihr Selbstvertrauen; Furcht oder Feindseligkeit gegenüber Menschen und Katzen bestimmen ihr Leben.

Ins Gesicht geschrieben

Für Menschen ist der Gesichtsausdruck einer Katze oft unergründlich, aber ihre Artgenossen wissen selbst kleinste Nuancen richtig zu deuten. Die Ohrhaltung lässt am leichtesten Schlüsse auf die Stimmung Ihrer Katze zu. Anders als Menschen und Hunde kennen Katzen keine universelle Begrüßungsgeste wie Lächeln oder Schwanzwedeln. Die Mimik einer Katze bleibt einfach entspannt und aufmerksam, auch wenn sie sich wirklich freut, Sie zu sehen. Andererseits weiß eine Katze sehr wohl, wie sie mit ihrem Gesicht »Adieu!« sagen kann. Ohren, Schnurrhaare und Maul lassen keinen Zweifel an der Botschaft aufkommen.

»Schau mir ins Gesicht und rate,
in welcher Stimmung ich heute bin!«

Die zufriedene Katze
Katzen drücken Behagen aus, indem sie die Augen verträumt und entspannt halb schließen und die Ohren nach vorne richten. In dieser Stimmung schnurren sie oft. Die Katze verspürt keinerlei Furcht oder Sorgen.

Die entspannte und aufmerksame Katze
Dies ist der häufigste Gesichtsausdruck. Katzen schauen so, wenn sie uns begrüßen oder um Aufmerksamkeit bitten – aber auch wenn sie liegen, sitzen, stehen, gehen oder laufen. Andere Katzen brauchen sich nicht vor ihr zu fürchten.

OHREN- UND AUGENSPRACHE

● Katzen können ihre Ohren fast wie Signalmasten einsetzen. Über 20 Muskeln steuern die Haltung eines Ohrs. Ist die Katze entspannt oder neugierig oder will sie jemanden begrüßen, so sind die Ohren nach vorn gerichtet. Flach gehalten werden sie bei Aggression, zurückgelegt bei Angst oder Wut. Manche Katzenrassen wie die Maine Coon haben Büschel an den Ohren, die den Ausdruck verstärken.

Die Augen sind bei der Katze relativ groß und verraten ebenfalls viel über ihre Stimmung. Ist Ihre Katze völlig entspannt, so schließt sie die Augen. Hat sie Angst, so wird automatisch der Selbstverteidigungs- und Fluchtreflex ausgelöst, und das ausgeschüttete Adrenalin weitet die Pupillen.

Ohren leicht nach hinten

Pupille mittelgroß

Die ambivalente Katze
Diese Katze zuckt unentschlossen mit den Ohren. Ihre Stimmung kann sich in jede Richtung entwickeln.

Ohren zum Schutz zurückgedreht

Pupillen aufgeregt geweitet

Die ängstliche Katze
Wenn Ihre Katze sich fürchtet, hält sie die Ohren flach. Bei starker Furcht legt sie sie ganz an den Kopf an.

Ohren richten sich auf Schallquelle aus

geweitete Pupillen zeigen Erregung an

Die faszinierte Katze
Eine neugierige Katze spitzt die Ohren, um den Schall einzufangen. Die Pupillen sind leicht geweitet.

Ohren aufmerksam aufgerichtet

Geruchsrezeptor über dem Gaumendach

Die flehmende Katze
Beim Flehmen wird die Oberlippe hochgezogen. Kater nehmen so den Urinduft einer rolligen Kätzin auf.

aufrechte, nach hinten gedrehte Ohren zeigen Wut an

missmutig nach vorne gerichtete Schnurrhaare

Die wütende Katze
Wenn eine dominant-aggressive Katze sich über etwas ärgert, bleiben ihre Pupillen relativ schmal.

ängstlichaggressiv geweitete Pupillen

Gebiss gewaltbereit entblößt

Die aggressive Katze
Mit furchtsam aufgerissenen Pupillen zeigt diese Katze fauchend und zischend ihre spitzen Zähne.

Kater und Kätzin

Es gibt einige Verhaltensunterschiede zwischen männlichen und weiblichen Katzen. Nicht kastrierte Kater sind meist destruktiver und aktiver als Kätzinnen, die im Allgemeinen verspielter und freundlicher bleiben. Sie sind auch anhänglicher und reinlicher als ihre männlichen Artgenossen. Kater beanspruchen größere Reviere und markieren sie häufig mit ihrem stechend riechenden Urin. Sie kämpfen um diese Reviere und um das Recht, sich mit den darin lebenden Weibchen zu paaren. Eine Kastration kann den Drang zum Herumwandern, Urinspritzen und Kämpfen reduzieren, wenn auch nicht immer im gewünschten Maß.

»Ich bin eine Dame – schlank und elegant ...«

Nicht kastrierter Kater

Bei diesem Kater haben sich die sekundären Geschlechtsmerkmale – der Backenbart, die dicke Haut am Hals – voll ausgeprägt, weil er nicht kastriert wurde. Kastriert man einen Löwen vor der Pubertät, entwickelt er keine Mähne.

Ganz Frau

Diese Katze hat typisch weibliche Züge und einen zarten Knochenbau. Ihr schlanker Körper bleibt auch erheblich kleiner: Bei manchen Rassen erreichen die Weibchen nur 60 Prozent der Größe ihrer männlichen Pendants.

MÄNNLICHE DICKHÄUTER

• Manche Kater kämpfen um Jagdreviere, aber vor allem machen sie sich – wie die Männchen vieler anderer Säugetiere – ihre Fortpflanzungsreviere streitig. Dabei kommt es vor allem im Gesicht und im Halsbereich zu Verletzungen. Die Haut ist dort zum Schutz besonders dick ausgeprägt, und dadurch wirken Kater oft »pausbäckig«. Im Nacken kann die Haut so widerstandsfähig sein, dass sie mit einer Spritze nur schwer zu durchstoßen ist. In diesem Fall sollten Routine-Injektionen besser an einer anderen Hautpartie verabreicht werden.

Kastriertes Weibchen

Das Verhalten eines Weibchens wird durch eine Kastration viel weniger verändert als das eines Männchens. Nicht kastrierte Kater und Kätzinnen haben sehr unterschiedliche Verhaltensmuster. Nach einem Eingriff gleicht sich ihr Wesen eher dem einer normalen Kätzin als dem eines Katers an. Der Eingriff vermindert den Drang herumzuziehen, sodass alle kastrierten Katzen eher in der Nähe des heimischen Gartens bleiben.

Kastriertes Männchen

Die Erregbarkeit und Destruktivität männlicher Katzen wird durch eine Kastration beeinflusst. Entwickelt ein Kater unerwünschte geschlechtsspezifische Eigenschaften, so ist eine späte Kastration ebenso effektiv wie eine frühzeitige.

Was Katzen tun

2

Typisches Verhalten

GEFAHREN OFFENSIV BEGEGNEN Katzen sind exzellente Jäger, aber zugleich potenzielle Beute. Werden sie angegriffen, so buckeln sie, um größer zu wirken. Sie legen die Ohren an, um sie zu schützen, und zischen wie Schlangen.

Katzen folgen ihren eigenen Regeln. Hunden kann man aufgrund ihres gefügigen Wesens relativ einfach sogar »unnatürliche« Verhaltensweisen andressieren, zum Beispiel das Vorstehen, also das Anzeigen von Beute, ohne diese zu ergreifen und zu töten. Katzen würden sich auf so einen Unsinn nie einlassen. Sie tun, wozu ihre Evolution sie befähigt hat, ob uns das nun passt oder nicht: Sie konkurrieren um Reviere, jagen, verteidigen sich, vertragen sich aber auch mit anderen – vor allem, wenn diese anderen keine Katzen sind. Da wir keine Konkurrenz für sie darstellen, kommen sie mit uns oft besser zurecht als mit ihren Artgenossen. Die moderne »Schmusekatze« ist das Resultat einer gezielten emotionalen Entwicklungshemmung. Dies ist wohl der tiefere Grund für die immense Zunahme der Katzenzahl in der zweiten Hälfte des 20. Jahrhunderts, in der der Hund unter unseren Lieblingshaustieren auf Platz zwei verdrängt wurde.

FÜRS LEBEN LERNEN Die sozialen Beziehungen entwickeln sich in den ersten sieben Wochen. Wächst eine Katze mit einem Tier auf, das – wie dieses Grauhörnchen – zum Beutespektrum gehört, so jagt sie diese Art später nicht.

GEBORENER JÄGER
Hauskatzen sehen in Nagetieren einfach nur Beute, und wenn sich die Gelegenheit ergibt, schlagen sie zu – ganz unabhängig vom akuten Nahrungsbedarf. Die erfolgreichsten Jäger töten wegen des Nervenkitzels und nicht aus Hunger.

Alle Kätzchen entwickeln sich zunächst auf dieselbe Weise, ob sie nun in menschlicher Obhut aufwachsen oder nicht. Sie entwickeln vorübergehende Bindungen an ihre Geschwister, spielen mit ihnen, genießen den Körperkontakt und trainieren ihren Jagdinstinkt, indem sie sich einander anpirschen. Werden Menschen früh genug – vor allem von der dritten bis zur siebten Lebenswoche – in diese Aktivitäten einbezogen, so

verhalten sich die Katzen ihnen gegenüber auch später noch so. Sie pirschen sich an unsere Füße an, spielen gerne mit uns und genießen es, gestreichelt zu werden.

UNENDLICH VERSPIELT Kätzchen trainieren ihr Angriffs-, Verteidigungs- und Jagdverhalten im Spiel. Geschwister, die weiter zusammenleben, liefern sich oft auch als Erwachsene noch Scheinkämpfe.

Freundschaft schließen

Im Alter von zwei bis sieben Wochen braucht Ihr Kätzchen viel geistige Anregung, um sich zu einer reifen und kontaktfreudigen Katze zu entwickeln. Anfangs konzentrieren sich die sozialen Aktivitäten der Kätzchen auf die Mutter, dann zunehmend auch auf die Geschwister. Mit etwa zwei Wochen fangen die Kleinen an, miteinander zu spielen. Dabei lernen sie, wie man Freundschaften schließt und was man später als Erwachsene können muss. Auch das Anpirschen an Beute und Zuschlagen wird an den Geschwistern eingeübt.

Spielerischer Angriff

Die Mutter duldet die »Attacke« eines ihrer sechs Wochen alten Kinder, während sie ein anderes säugt. Je älter die Kätzchen werden, desto weniger toleriert sie solche Faxen.

»Endlich hab ich ihn erwischt.«

Die Sprache des Kampfes

Dieses sechs Wochen alte Kätzchen scheut vor einem Kampf zurück. Die früher freundschaftlichen Spiele enden nun oft mit einem bösen Blick und Fauchen.

Rangelei

Mit gut drei Wochen wälzen sich diese beiden balgend herum. Was auf den ersten Blick nach ernster Keilerei aussieht, ist noch reiner Spaß und endet meist mit Umarmungen und gegenseitigem Belecken.

REIBEREIEN

● Katzen haben Duftdrüsen an den Lippen und den Wangen. Damit reiben sie sich an den verschiedensten Objekten, um sie zu markieren: Pfosten in ihrem Revier, Familienmitglieder oder befreundete Katzen. Auch uns markieren sie gerne, indem sie erst mit ihrer Wange und dann mit dem ganzen Körper an uns entlangstreichen.

»Von hier aus siehst du ganz anders aus!«

»Autsch! Pass doch auf mit deinen Krallen.«

Kreatives Spiel

Ganz entspannt entblößt eines der Kätzchen seinen Bauch. Seine Schwester lernt beim Spiel mit seinem Schwanz, dass man fix sein muss, um ein bewegtes Objekt zu fangen.

Konkurrenz

Kaum öffnen sich ihre Augen, fangen Kätzchen an, miteinander zu rangeln. Zunächst ist die Rivalität gespielt, aber die tapsigen Pfotenhiebe etablieren bald eine »Hackordnung«: Das aufgeweckteste, stärkste oder wagemutigste Kätzchen dominiert die anderen. Am Anfang leben die Geschwister noch ohne Spannungen und gleichberechtigt zusammen, und wenn Mutter zu

*starrer Blick soll
Rivalen verunsichern*

1 Blickduell

Alle Spielelemente entsprechen späteren Jagd- und Kampftaktiken. Dieses Kätzchen starrt sein Geschwister selbstbewusst an, genau wie es später seine Beute fixieren wird. Beide rühren sich nicht und kaschieren ihre Absichten, bis einer der Kontrahenten aufgibt und sich bewegt.

2 Angriff

Das stehende Kätzchen dominiert den Kampf. Sein erhobener Schwanz deutet darauf hin, dass es ernsthafter bei der Sache ist als sein Geschwister. Furchtlos entblößt das Kätzchen am Boden seinen Bauch – im Spiel das Zeichen für die Unterwerfung.

*»Na warte,
jetzt zeig ich's dir.«*

*Pfote zur Gegen-
wehr erhoben*

*fester Halt der Hin-
terpfoten trägt zur
Überlegenheit bei*

Tisch ruft, ist es nicht so wichtig, wer zuerst zum Zuge kommt. Bei Kätzchen sind Hierarchien nicht so ausgeprägt wie bei Welpen, aber es gibt sie durchaus. Im Spiel wechselt die Führungsrolle zwischen ihnen, und sie lernen dabei, wie man andere unterdrückt – und dass es sinnvoll ist, sich zu unterwerfen, wenn das Gegenüber mit größerem Ernst und Eifer bei der Sache ist.

Ohren ängstlich
zurückgelegt

Ohren zufrieden
aufgestellt

Rückzug
Plötzlich geht dem spielenden Kätzchen auf, dass sein Geschwister es ernst meint. Das Spiel hat sich in einen Hierarchiekonflikt verwandelt, und so sucht es mit ängstlich zurückgelegten Ohren das Weite. Das andere Kätzchen legt sich hin, die Ohren zeigen seinen Triumph an.

*»Blöder
Spielverderber!«*

Schwanzfell
vor Aufregung
gesträubt

Immer im Kreis
Jedes Kätzchen versucht, an der Analregion des anderen zu schnüffeln. So werden spätere Revier- und Hierarchiekonflikte vorweggenommen. Befreundete Katzen beschnüffeln sich an der Nase.

Der Jagdinstinkt

Manche Verhaltensforscher halten Spiel- und Jagdverhalten für altersspezifische Ausprägungen ein und desselben Instinkts. Doch wie kann es dann sein, dass Ihre Katze Mäuse tötet, aber weiterhin wie ein Kätzchen mit Ihnen spielt? Das Jagdverhalten bildet sich im Alter von fünf Wochen aus. In diesem Alter kennen Kätzchen drei unterschiedliche Jagdmanöver: den »Mäusesprung«, den »Vogelschlag« und den »Fischhieb« – und es dauert nicht lange, bis sie begreifen, dass sich in der Luft ebenso viel tut wie am Boden.

Vogelschlag

Dieses sechs Wochen alte Kätzchen ist noch zu jung, um einen echten Vogelschlag zu vollführen, aber es streckt schon eine Pfote mit ausgefahrenen Krallen nach interessanten Objekten in der Luft aus. Später wird es mit allen vieren vom Boden abheben können.

»Gleich hab ich dich, kleiner Vogel.«

Gleichgewichtsübung

Nach sechs Wochen richtet sich das Kätzchen auf, um etwas aus der Luft zu holen, aber für einen Sprung reicht die Muskelkoordination noch nicht aus. Der Schwanz hilft beim Balancieren.

VOGELJÄGERDYNASTIEN

• Erwachsene Katzen lernen kaum durch Beobachtung, Kätzchen hingegen wohl. Der Jagdinstinkt an sich ist angeboren, aber die Kätzchen schulen ihre Fähigkeiten, indem sie ihrer Mutter nacheifern. Daher sind die Nachkommen guter Vogelfänger oft wiederum gut im Vogelfang. Der deutsche Verhaltensforscher Paul Leyhausen meint, die Mutter bringe ihren Kindern nicht nur bei, wie man jagt, sondern signalisiere auch mit der Stimme, welche Art von Beute sie gerade heimbringt.

Schwanz vor Aufregung aufgestellt

Fischhieb

Dieses Kätzchen übt den seitlichen Schlag, mit dem es später Fische aus dem Wasser holen kann. Es muss das nicht von der Mutter lernen, sondern beherrscht es instinktiv.

Beute nach Hause bringen

Ist die Beute gefangen, wird sie fortgetragen – auch wenn es nur ein Spielzeugküken ist. Das Kätzchen bringt es nach Hause, genau wie die Mutter ihren Kindern Mäuse bringt.

Krallen bereits ausgefahren

»Schau, was ich Tolles kann!«

bewegliches Rückgrat ermöglicht Überraschungsangriff

Anschleichen

Dieses neun Wochen alte Kätzchen beherrscht die Technik der unbemerkten Annäherung an die Beute inzwischen fast perfekt. Kätzchen fangen schon mit drei Wochen an, sich an ihre Geschwister heranzupirschen, und kurz darauf schleichen sie sich auch an andere Objekte an.

Mäusesprung

Der seitliche Satz mit durchgestreckten Beinen ist das Lieblingsmanöver dieses neun Wochen alten Kätzchens. Hier fängt es ein Spielzeug. Es springt nicht nach oben, sondern stößt mit den Vorderbeinen auf das Opfer hinab. Später wird es mit dieser Technik Nagetiere fangen.

Überleben lernen

Kätzchen lernen von ihrer Mutter, wie man Beute fängt und tötet. Nur für wilde Katzen ist das überlebensnotwendig, aber auch Ihre Hauskatze wird es ihren Kleinen beibringen, selbst wenn Sie stets für gefüllte Fressnäpfe sorgen. Als Erstes müssen die Kätzchen ihr Beutespektrum kennenlernen. Daher bringt die Mutter ihnen tote Tiere. Danach lernen sie, wie man tötet – also bringt Mama lebende Beute mit. Zunächst reagieren die Kätzchen oft aufgeregt und furchtsam, aber bald finden sie den Mut, den Tieren nachzusetzen, sie zu ergreifen, herumzuschleudern und schließlich zu töten.

»Mama – hast du uns was mitgebracht?«

Forderungen stellen

Diese Katze richtet sich zum Betteln auf. Durch Beobachtung und Zuhören lernen Kätzchen von der Mutter, wie man bittet und fordert. Die Domestizierung hat aus unabhängigen Jägern Bettler und Resteverwerter gemacht.

1 Mitbringsel

Diese Mutter bringt den Kätzchen eine tote Maus zum Spielen mit. Ihre steife Haltung und die runden Pupillen zeigen ihre Aufregung. Ihre Rufe verraten, ob sie eine Maus oder eine womöglich wehrhafte Ratte hat.

2 Sorgfältige Untersuchung

Unter den Blicken der Mutter untersuchen die Kätzchen die tote Maus. Durch Nachahmung lernen sie, dabei all ihre Sinne einzusetzen. Der spezifische Geruch eines Nagetiers prägt sich ihnen fürs ganze Leben ein.

3 Vorbereitung aufs Fressen

Während die Mutter ein Kätzchen durch Belecken ablenkt, hält das andere die Maus konzentriert mit den Vorderpfoten fest und tritt mit den Hinterbeinen danach.

FRESSGEWOHNHEITEN

● Die Hauptbeute der Katze sind kleine Nagetiere. Ihre Eckzähne haben die richtige Form, um einer Maus mit einem Biss das Rückgrat zu durchtrennen. Die meisten Katzen stellen auch Vögeln nach, aber ohne großen Erfolg. Nur wenn es außer Vögeln nichts oder nur wenig zu fressen gibt, spezialisieren sie sich auf diese Beute. Bei weltweiten Untersuchungen haben sich Katzen als Opportunisten erwiesen, die fressen, was auch immer sie vor Ort finden. Diese Katze hat z. B. Gefallen an Blindschleichen gefunden.

»Das macht echt Spaß – ich MAG Mäuse«

Mit der Beute spielen

Die noch unvertraute Beute regt dieses Kätzchen dazu an, mit seinem Opfer zu spielen, statt es gleich zu fressen. Dass hungrige Katzen mehr Ratten töten, stimmt nur in Ausnahmefällen: Hunger treibt nur die allerbesten Jäger an.

Unabhängig werden

Wilde Kätzchen, die ohne Kontakt zu Menschen aufwachsen, reifen zu einzelgängerischen Jägern heran. Sie haben keinen Anreiz, die Bindung an ihre Geschwister aufrechtzuerhalten. Der Unabhängigkeitsdrang artikuliert sich in den Dominanzspielen, bei denen die Rangordnung im Wurf festgelegt wird. Wenn die Kätzchen 18 Wochen alt sind, ist aus Spiel Ernst geworden, auch wenn sich die Gegner selten schwer verletzen. Die Bande lösen sich, die Geschwister gehen getrennte Wege. Mit Ihnen wird Ihre Katze aber weiterhin Umgang pflegen, weil sie Sie nicht als Bruder oder Schwester, sondern als Ersatzmutter sieht.

1 Halb Spiel, halb Ernst

Sobald sie mit neun Wochen die volle Beweglichkeit haben, üben die Kätzchen Aggressionsverhalten ein. Mit ausgefahrenen Krallen macht sich das dominante Tier zum Zustoßen bereit. Das andere verkennt seine Lage noch: Dieses Spiel kann leicht in blutigen Ernst umschlagen.

»Komm mir bloß nicht zu nahe.«

Vorderbeine kampfbereit ausgestreckt

Schwanz erregt aufgerichtet

Krallen zum Zupacken ausgefahren

aufliegende Pfoten für einen sicheren Stand

EREMITEN UND KOLONIEN

● Der Drang nach Unabhängigkeit hängt auch mit der Nahrungsverfügbarkeit zusammen. Auf den Inseln im Westen Schottlands, auf denen es wenig zu fressen gibt, findet man nur ein bis zwei Katzen pro Quadratkilometer, und die Jungtiere werden rasch Jäger. Bei den Fischfabriken an der japanischen Küste hingegen kommen über 1000 Katzen auf einem Quadratkilometer vor, und der weibliche Nachwuchs bleibt im matriarchalischen Verband.

»Volle Deckung, jetzt komme ich!«

zurückgeklappte Ohren signalisieren Angriffslust

Ohren zum Schutz angelegt

Nackenbiss
Das unterlegene Kätzchen erkennt plötzlich, dass sein Gegenüber es ernst meint. Aus der Unterwerfungshaltung geht es zum Gegenangriff über und versucht, seinem Geschwister die Zähne in den Nacken zu schlagen.

Versöhnungsgesten
Mit neun Wochen unterbrechen Kätzchen ihre Kämpfe noch oft, um sich zu entspannen. Das Kätzchen, das zugebissen hat, macht sich nun wieder klein. Sein Geschwister traut dem Frieden aber nicht unb bleibt auf der Hut.

Auf ein Neues
Plötzlich wendet sich das Blatt erneut, und die Auseinandersetzung wird fortgesetzt. Das ursprünglich dominante Kätzchen attackiert sein Geschwister aus der Luft. Dieses dreht sich um und setzt sich mit Zähnen und Klauen zur Wehr.

Sich wehren

Eine Katze verteidigt ihr Revier lieber gegen eindringende Artgenossen, als sich mit ihnen anzufreunden. Hauskatzen sind weniger gesellig als Hunde und viel versierter im Aussenden von »Verzieh dich«-Signalen. Hat Ihre Katze das Gefühl, nicht mehr Herrin der Lage zu sein oder bedroht zu werden, löst ein Adrenalinstoß den Verteidigungs- und Fluchtreflex aus. Sie weicht nicht gleich zurück, sondern demonstriert Stärke und Größe, indem sie ihr Fell sträubt und einen Buckel macht. Die Pupillen weiten sich, und sie kann fauchen und zischen. Sogar wenn sie sich unterlegen fühlt, wird sie zumindest so tun, als wäre sie zur Gegenwehr bereit.

Präsentation von der Seite, um größer zu wirken

Pfoten fluchtbereit aufgesetzt

»*Verschwinde lieber, solange du kannst.*«

So tun, als ob

Mit gesträubtem Schwanz, hohem Buckel und aufgestellten Haaren versucht diese Katze, ihre Angst hinter Aggressivität zu verbergen. Sie zeigt sich von der Seite, um größer zu wirken, und tut so, als wolle sie ihren Gegner gleich angreifen.

ANGRIFF AUS SCHMERZ

• Katzen klagen kaum, wenn es ihnen schlecht geht: Ihr Selbsterhaltungsinstinkt gebietet ihnen, sich möglichst normal zu verhalten. Wenn Ihre Katze sich sonst gerne berühren lässt, sich aber plötzlich dagegen wehrt, hochgehoben zu werden, hat sie vielleicht eine schmerzhafte Verletzung oder Krankheit. In diesem Fall sollten Sie tierärztlichen Rat einholen.

Schwanz-
haare leicht
aufgestellt

Waffen bereit
Obwohl sie zutiefst verängstigt ist, bereitet sich diese Katze auf eine Auseinandersetzung vor. Fauchend dreht sie sich um und zeigt ihre Zähne und Krallen, um sich zu wehren.

gekrümmter
Rücken lässt
die Katze größer
wirken

»Glaub mir, du wirst es bereuen!«

Auf der Hut
Diese erschrockene Katze wappnet sich zur Gegenwehr. Das Adrenalin hat ihre Pupillen geweitet, sodass ihr Blick Furcht einflößend wirkt. Sie hat sich regelrecht aufgeplustert, um zu zeigen, wie groß und tapfer sie ist.

In der Offensive

Überzeugendes Bluffen gehört für eine Katze, die Angriffslust demonstrieren will, unbedingt dazu. In ihrer Welt gibt es keine festen Hierarchien, sodass es ganz von der jeweiligen Situation abhängt, ob eine Katze eher defensiv oder eher offensiv auftritt. In ihrem eigenen Revier oder von einer überlegenen Warte aus – zum Beispiel auf einem Dach – wird sie vermutlich eine offensive Körpersprache sprechen. Mit Heim- oder Standortvorteil fühlt sie sich ihrer Sache sicher und hat sich ganz im Griff. Daher weiten sich auch ihre Pupillen nicht, und der Selbstverteidigungs- und Fluchtreflex wird nicht ausgelöst, wie es bei einer defensiven, verängstigten Katze der Fall ist.

Sichere Warte
Solange die Katze auf dem Dach sitzt, dominiert sie alle anderen. Kopfhaltung, Schnurrhaare, nach vorne gerichtete Ohren und das ungesträubte Fell demonstrieren Zuversicht. Aus dieser Höhe kann sie Gegner früh erkennen und gut angreifen.

Standhaft
Mit vorgestrecktem Kopf zeigt diese mutige Katze, dass sie sich vom höher sitzenden Rivalen nicht einschüchtern lässt. Doch das aufgestellte Schwanzhaar verrät, dass sie ein bisschen Angst hat.

Ohren überlegen
nach vorne gerichtet

*»Angst? Ich?
Was fällt dir ein!«*

vor Furcht leicht
gesträubtes
Schwanzfell

peitschender
Schwanz

*»Tu nicht so!
Ich weiß, du
hast Angst.«*

Vorderpfoten
aktionsbereit
aufgestemmt

Überlegen
Der Blick der tiefer stehenden Katze verunsichert diesen Kater nicht. Dank seines guten Gleichgewichtssinns hockt er sicher auf dem Pfosten. Ohne einen Absturz fürchten zu müssen, warnt er den Gegner mit Blicken davor, noch näher zu kommen.

SIND KATZEN NACHTRAGEND?

• Wenn ich eine Katze untersucht, behandelt und schließlich vom Tisch auf den Boden gesetzt habe, läuft sie oft herum, als überlege sie, ob sie sich in eine sichere Ecke zurückziehen sollte – doch dann kehrt sie manchmal zu mir zurück und versetzt meinem Bein einen Hieb. In Haushalten mit mehreren Katzen kommt es recht oft vor, dass ein Tier nach einem anderen schlägt, das einfach nur vorüberläuft. Katzen erinnern sich. Sie denken an das, was passiert ist, und erwägen, was zu tun ist, damit sich das nicht wiederholt. Manche Verhaltensforscher meinen, das sei einfach ein Ausdruck dominanten Verhaltens, aber mir kommt es oft wie gezielte Rache vor.

Kampfgeist

Diese selbstbewusste, wütende Katze hat die Ohren leicht angelegt und das Maul weit aufgerissen, um mit rinnenförmig zusammengerollter Zunge zu fauchen oder zu zischen. Die zurückgezogenen Lippen entblößen zur Bekräftigung spitze Zähne.

flach gehaltene Ohren: Verteidigungsverhalten

»*Treib es nicht zu weit, Freundchen.*«

Gesichtsmuskulatur angriffsbereit angespannt

Mutter Courage

Das wehrhafte Auftreten dieser Katzenmutter verunsichert selbst den stärksten Kater. Sie wird nicht zurückweichen und droht ihm mit aggressivem Fauchen und Zischen. Zieht er sich nicht zurück, so wird sie sich auf ihn stürzen.

Das Revier markieren

Um Besitzansprüche anzuzeigen, hinterlassen Katzen in ihrem Revier Botschaften an die Konkurrenz. Bei ihren Rundgängen markieren sie Jagdansitze, Futterstellen und Ruheplätze. Diese Markierungen sind entweder geruchlicher oder optischer Natur. Wenn Ihre Katze sich an Ihnen reibt, überträgt sie ihren Körpergeruch und macht Sie damit zu einem Teil ihres Reviers. Im Garten bringt sie Kratzspuren an Zäunen und Baumstämmen an, und im Zimmer schlägt sie die Krallen in Sofas und Stühle. Kater wie Kätzinnen – sogar kastrierte – versprühen Urin, und dominante Kater hinterlassen nicht verscharrte Kothaufen als Geruchs- und Sichtmarkierungen.

Kratzbaum

Mit angelegten Ohren und fast trance-artigem Blick schlägt die Katze ihre Krallen in die höchste erreichbare Stelle. Holz eignet sich besonders gut, da es nicht rutschig ist. Da die Kratzer auch aus der Ferne gut sichtbar sein sollen, werden sie zumeist an exponierten Stellen angebracht.

Ohren
zurückgelegt

Ansprüche anmelden

Das Urinsprühen zum Markieren hat nichts mit dem Be-dürfnis zu tun, sich zu erleichtern. Die Katze dreht dem zu markierenden Objekt das Hinterteil zu und spritzt den Harnstrahl mit zitterndem Schwanz direkt nach hinten.

»Hier setz ich meine Marke.«

Schwanz
als Balancier-
stange

Schwanz des
Katers verteilt
Duft im Gebüsch

KATZENPHEROMONE

• Dass natürliche Lockstoffe das Verhalten beeinflussen, ist lange bekannt. Aber erst als ein französischer Veterinär genaue Untersuchungen angestellt hatte, wurden Pheromone chemisch hergestellt und eingesetzt. Patrick Pageat sammelte und identifizierte eine Reihe von Fettsäureverbindungen aus den Wangendrüsen von Katzen. Zwei davon wirkten im Experiment beruhigend auf andere Katzen. Pageat ließ sie von einer französischen Parfümfirma synthetisieren, und ihr therapeutischer Wert – vor allem zur Reduzierung des Urinsprühens in Haushalten mit mehreren Katzen – wurde in unabhängigen Kontrollstudien bestätigt.

Die Wohnungskatze

Im Haus geben sich die meisten Kätzinnen und kastrierten Kater mit kleinen Revieren zufrieden, die ebenfalls markiert werden. Dieses kastrierte Weibchen »besitzt« einen Sessel.

Duftbotschaften

Die Katze reibt den Kopf am Zaun, um ihn mit Duft aus ihren Wangendrüsen zu imprägnieren. Das duftende Holz signalisiert den Artgenossen, dass dieses Gebiet nicht frei ist, und es enthält noch weitere Informationen.

Kontrollgänge

Markierungen aus Körpersekreten müssen täglich erneuert werden. Sie schrecken andere Katzen nicht ab, sondern verraten Eindringlingen, wie lange es her ist, dass der Revierinhaber da war.

»Der Zaun gehört zu meinem Revier!«

Talgdrüsen sondern ölige Substanz mit besonderem Duft ab

Wangendrüsensekret hat einen speziellen Geruch

zum Markieren wird Urin versprüht; Analdrüsen versehen den Kot mit Duft

Patrouille laufen

Die Größe des Reviers einer Katze hängt mit dem Alter, dem Geschlecht und der Persönlichkeit des Tieres zusammen. Weibchen und kastrierte Tiere geben sich meist mit kleinen Flächen zufrieden, während Kater größere Gebiete ablaufen und verteidigen – oft zehn Mal so groß wie die Reviere von Kätzinnen. Verwilderte Katzen haben außerdem Jagdreviere, die an das Kernrevier angrenzen oder über spezielle Pfade mit ihm verbunden sind. Hat Ihre Katze daheim nicht genug Platz, wird sie auch Nachbars Garten beanspruchen und mit einem Kothaufen verzieren.

Kontrolle von oben

Katzen schöpfen alle drei Raumdimensionen aus. Kater verbringen im Allgemeinen mehr Zeit mit Revierkontrollen als Kätzinnen.

der Revierinhaber hockt entspannt auf seinem Ansitz

»Hier hab ich alles unter Kontrolle.«

Grenzstein

Viele Katzen übernehmen einfach die Grenzmarkierungen ihrer menschlichen Familie und begnügen sich mit dem Garten hinterm Haus. Dieser wird dann aber vehement gegen Artgenossen verteidigt. Manchmal wird auch der Nachbargarten noch mit einbezogen.

KRANKHEITSÜBERTRAGUNG

• Entzündete Wunden, vor allem eitrige Bisswunden, sind für alle Tiere – Jäger wie Gejagte – gefährlich. Katzen werden besonders oft von Artgenossen gebissen, vor allem wenn körpersprachliche Signale nicht ausreichen, um Revierkonflikte beizulegen. Nicht nur Bakterien haben sich an die erhöhte Dichte von Hauskatzen im Gelände angepasst: Auch ehemals seltene Viruserkrankungen sind mit der steigenden Katzenzahl häufiger geworden. Sowohl das Feline Immundefizienz-Virus (FIV) als auch das Feline Leukämie-Virus (FeLV) werden vom Speichel in die Blutbahn übertragen, und zwar nicht nur bei Bissen, sondern auch, wenn eine infizierte Katze einer anderen das Fell leckt.

My home is my castle

Ein Kernrevier ist dann perfekt, wenn es dort immer genug Futter und sichere Rückzugsmöglichkeiten gibt. Eine Katzenklappe ermöglicht Ihrer Katze eine gewisse Unabhängigkeit. Sie kann kommen und gehen, wann sie will.

»He, du! Was hast du hier verloren?«

Standortvorteil

Unabhängig davon, welches Tier dominant ist, hat diejenige Katze, die bei einer Begegnung höher steht, einen klaren Vorteil. Daher patrouillieren Katzen gerne auf Dächern. Aus der Höhe können sie ihr Revier überblicken und Eindringlinge beschimpfen.

abgesenktes Hinterteil zeigt Anspannung an

Anpassung an den menschlichen Lebensstil

Viele Katzen leben gerne in einer Wohnung, in der sie uns die Nahrungssuche und Revierverteidigung überlassen können. Dennoch sehen sie sich selbst als Revierinhaber und markieren ihren Lieblingsplatz, zum Beispiel einen Stuhl.

Geselligkeit

Nichts in ihrem Erbgut hindert eine Hauskatze daran, friedlich mit Artgenossen zusammenzuleben, solange die Bedingungen stimmen. Katzen, die zum selben Haushalt gehören, teilen
sich bereitwillig ein Revier, wenn es genug Futter gibt. Sie kommunizieren dann viel miteinander – nicht nur, um ihre Rückzugsplätze zu verteidigen, sondern auch, um Meinungsver-
schiedenheiten und Rangkonflikte auszutragen. Im Unterschied zu einem Wolfsrudel gibt es
in einer Hauskatzengruppe keine starre Hierarchie, in die sich alle eingliedern. Umso schwerer
ist es für Verhaltensforscher, die soziale Dynamik in einer solchen Gruppe richtig zu deuten.

Gruppendynamik

*Die Beziehungen in Katzengruppen
sind meist fließend. Es lassen sich aber
gewisse Interaktionsmuster erkennen.
In einer kleinen Kolonie zum Beispiel
verhält sich jedes Tier gegenüber jedem
seiner Gefährten etwas anders.*

*dieses Kätzchen
behält das domi-
nante Tier in der
Mitte im Blick*

Wer ist der Boss?

*Hauskatzen verhalten sich in der Woh-
nung nicht viel anders als in einer Kolonie
unter freiem Himmel. Wenn sich zwei Katzen auf neutralem Grund begegnen, darf
jene bleiben, die höher sitzt. Bei gleicher
Höhe teilt das »dominante« Tier manchmal einen symbolischen Pfotenhieb aus.*

*»Ich hab dich
auch lieb, mein
Kleines.«*

Wer fängt an?

*Katzen reiben oft die Körper aneinander.
Welches Tier damit anfängt, gibt uns Hinweise auf die Hierarchie in der Gruppe.
Kätzchen machen gegenüber ihren Müt-
tern immer den ersten Schritt. Danach
erwidern die Mütter oft die Geste, indem
sie an ihren Kleinen entlangstreichen.*

*Mutter erlaubt
Kätzchen, sich
an ihr zu reiben*

*»Hau
endlich ab
hier!«*

*Haltung drückt Missfallen
über die Begegnung aus*

MENSCHEN ALS KATZENERSATZ

• Viele Menschen genießen es, Katzen nicht nur zu beobachten und mit ihnen zusammenzuleben, sondern sich auch intensiv um sie zu kümmern. Ihre Größe, ihre Weichheit und Sinnlichkeit und vor allem die großen Augen sprechen unsere Instinkte an. Für manche Leute sind Katzen ein idealer Babyersatz. Einige Katzennarren beharren sogar darauf, es sei andersherum. Aber was sehen diese Tiere in uns? Für eine gesellige Katze sind wir ein guter Katzenersatz. Wir sind ihnen ähnlich genug, um mit ihnen zu spielen und ihnen Geborgenheit zu geben, und dabei so verschieden, dass wir keine Bedrohung darstellen. In vieler Hinsicht kommen sie mit uns besser zurecht als mit echten Artgenossen.

Ausdruck zeigt Gefallen an der Zärtlichkeit an

Freundschaften pflegen

Aggressionen sind in Gruppen oder Familien selten. Sie sind »Außenseitern« vorbehalten. Katzen, die sich mögen, schlafen nah beieinander oder sogar mit Körperkontakt und belecken sich auch gegenseitig. Solche Zärtlichkeiten stärken die sozialen Bande.

»Dein Fell riecht soo gut.«

Fellpflege

Das Putzen ist keine bewusste Handlung mit dem Ziel, sich sauber zu halten, sondern ein Reflex. Ihre Katze hat den Drang, ihr Fell zu pflegen – normalerweise, wenn sie entspannt ist, aber auch zum Stressabbau. Das Putzen bringt das Fell zum Glänzen. Ihre Katze ist von Natur aus reinlich. Sie wird instinktiv einen bestimmten Ort als Toilette benutzen und ihr Fell in Schuss halten. Das Lecken regt die Haut zur Absonderung eines öligen Sekrets an, das das Fell wasserabweisend macht. Die stachelige Zunge kämmt ausgefallene, abgebrochene und verknotete Haare aus. Fremdkörper entfernt die Katze mit den Vorderzähnen.

Gründliche Reinigung

Diese Katze hebt ein Bein an, um mit der Zunge bis an die Schwanzwurzel zu gelangen. Sie entfernt verfilzte und verschmutzte Haare und regt zugleich die Drüsen der Analregion zur Duftproduktion an.

Bein angehoben, um Analregion zu erreichen

Schwanz und zweites Hinterbein sorgen für Halt

Gesichtswäsche

Wenn Ihre Katze sich putzt, nachdem Sie sie angefasst haben, nimmt sie Ihren Geruch auf und überdeckt ihn vor allem mit ihrem eigenen. Sie geht immer gleich vor: Die Innenseite der Vorderpfote wird mit Speichel befeuchtet und kreisend von hinten nach vorn über das Gesicht gezogen.

»Na bitte,
wieder wie
geleckt.«

»Danke, was
täte ich nur ohne dich!«

Gegenseitige Fellpflege

Dieses Kätzchen leckt seine Mutter hinter dem Ohr, wo sie selbst mit der Zunge nicht hinkommt. Die Mutter ist völlig entspannt. Das wechselseitige Putzen stärkt auch die Bindung zwischen Mutter und Kind.

Auch hinter den Ohren

Am Ende einer solchen Putzaktion
wird die Pfote über das Ohr gezogen.
Abschließend trägt die Katze noch einmal
neuen Speichel auf und streicht sich über
die Augen. Ihre Katze genießt es, am
Kopf gestreichelt zu werden, weil sie dort
mit ihrer Zunge nicht hinkommt.

Raspelzunge
bürstet das
Fell aus

Sauber von Kopf bis Schwanz

Dank ihres biegsamen Rückgrats erreicht diese Katze fast den ganzen Körper mit
ihrer Zunge. Sie dreht den Kopf fast um 180 Grad, um Schmutz und Schuppen von
ihrem Rücken zu knabbern. An welchen Stellen sie anfängt, ist Zufall.

Schlummern

Ihre Katze schläft über 18 Stunden pro Tag, also doppelt so lang wie die meisten anderen Säugetiere. Warum Katzen so viel Ruhe brauchen, weiß niemand. Ihre Nickerchen machen sie bevorzugt tagsüber. Am frühen Morgen und am späten Abend, wenn die Jagd am meisten Erfolg verspricht, sind sie aktiv. Wenn Ihre Katze müde wird, fällt sie zunächst in einen sanften Schlummer, aus dem sie noch jederzeit leicht erwachen kann. Zehn bis dreißig Minuten später wird ihr ganzer Körper schlaff, sie ändert ihre Haltung und tritt in die Tiefschlafphase ein. An das Erwachen schließt sich für gewöhnlich ein Ritual aus Gähnen, Strecken und Putzen an.

Gemütliches Nickerchen

Beim gemeinsamen Schlummern in der Geborgenheit des Korbs wärmen sich diese jungen Kätzchen gegenseitig. Später schlafen sie lieber alleine, suchen dazu aber weiterhin warme, sichere Orte wie einen Schrank oder ein Bett auf.

TRÄUMEN KATZEN?

● Schlafen ist nicht gleich Passivität. Im Tiefschlaf kann Ihre Katze die Pfoten anspannen und die Schnurrhaare zucken lassen. Sie träumt höchstwahrscheinlich, denn in ihrem Gehirn herrscht nicht weniger elektrische Aktivität als im Wachzustand. Außerdem ähnelt der REM-Schlaf einer Katze dem eines Menschen. Nach etwa sieben Minuten Tiefschlaf kehrt sie in den Leichtschlaf zurück, und der Zyklus beginnt von vorn.

Buckeln

Nach dem Aufwachen stellt diese Katze die Pfoten dicht zusammen und drückt die Hinterbeine durch. Der elegante Bogen, den ihr Rücken bildet, trainiert die Muskeln. Als Jägerin muss sie ihren Körper fit halten, um jederzeit schlagartig Energie freisetzen zu können.

Gähnen

Wenn eine Katze allmählich wach wird, gähnt sie zunächst herzhaft, um die Kiefermuskeln zu dehnen. Bei anderen Tieren kann Gähnen auch ein Zeichen von Nervosität sein, aber bei Katzen ist das offenbar nicht der Fall.

»Und jetzt die Morgentoilette.«

»Das Strecken macht munter.«

Dehnungsübung

Nach dem Buckeln streckt die Katze sich nach vorne aus, um die Muskeln der Vorderbeine, der Krallen und des Halses zu bewegen. Der Kreislauf in den Beinen und der Tastsinn werden in Schwung gebracht.

Katzenwäsche

Am Ende des Aufwachrituals putzt sich das Kätzchen so, wie wir uns morgens waschen und zurechtmachen.

Mit Katzen leben

3

Glückliche Wohngemeinschaft

VERSPIELTES WESEN Durch die Zuchtwahl und aufgrund ihrer Kindheitserfahrungen bleiben Katzen oft ein Leben lang verspielt wie kleine Kätzchen. Mit manchen Spielzeugen können sie sich allein beschäftigen, andere beziehen Sie in das Spiel mit ein.

ECHTE FREUNDE Katzen sind wunderbare Familienmitglieder. Es ist eine Bereicherung, ein kleines Kätzchen aufzunehmen und mit ihm viele Jahre zu verbringen. Wer die Sprache des vierbeinigen Hausgenossen versteht, kann Missverständnisse von vornherein vermeiden.

Könnte Ihre Katze reden, so wäre es wohl nicht immer angenehm, ihr zuzuhören: »Tu dies«, »Tu das«, »Beachte mich gefälligst. Ich bin hier der Boss!« und so weiter. Zwar sind die Katzen, die in unseren Häusern mit uns zusammenleben, vom Gesetz her unser Eigentum, aber die meisten Katzenhalter wissen, dass diese Tiere uns im Grunde nicht »gehören«. Katzen leben mit uns zusammen, weil sie der Meinung sind, dass es ihren Interessen dient. Zum Glück haben beide Seiten etwas davon: Wir bieten ihnen Geborgenheit, Sicherheit, Komfort und Nahrung. Dafür schenken sie uns ihre Ausgeglichenheit, Beharrlichkeit, Vertrautheit und wilde Schönheit.

ERWEITERTE FAMILIE Hunde stellen Katzen gerne nach, sodass ein Zusammenleben schwierig werden kann. Die Gefahr ist geringer, wenn ein Welpe rechtzeitig lernt, einer fauchenden, grollenden oder schlagenden Katze aus dem Weg zu gehen. Planen und überwachen Sie die erste Begegnung gut.

Die erste Begegnung mit den anderen Familienangehörigen – einschließlich weiterer Katzen oder Hunde – sollte sorgsam vorbereitet werden, sodass sie sicher und für alle Beteiligten so angenehm wie möglich verläuft. Es ist Ihre Aufgabe sicherzustellen, dass Katzen sich so harmonisch wie möglich in unsere Welt einfügen können. Diese Harmonie kann gestört werden, wenn wir – wie so oft – nicht verstehen, warum sie tun, was sie eben tun. Dass sie ihren Urin, Kot und weithin sichtbare Kratzer einsetzen, um ihr Revier zu markieren, ist aus evolutionärer Perspektive eine wunderbare Anpassung an ihre Umwelt, aber dieses Verhalten hat schon manchen Katzenhalter zur Verzweiflung getrieben. Zum Glück lassen sich diese Angewohnheiten mit etwas Geschick in akzeptable Bahnen lenken.

DRINNEN ODER DRAUSSEN? Wenn Sie ebenerdig wohnen, müssen Sie eine schwierige Entscheidung treffen. Draußen können Katzen jagen, herumlaufen, ihr Revier markieren und verteidigen, aber das ist nicht ungefährlich.

Unser bester Freund

Die Befriedigung, die wir aus der Fürsorge für Mitgeschöpfe ziehen, hat zum Überleben unserer Art beigetragen. Sie ist auch der Grund dafür, dass viele Menschen so gerne mit Katzen zusammenleben. In gewisser Weise erfüllen Katzen unser Bedürfnis, uns um jemanden zu kümmern, sogar besser als Kinder: Sie werden nämlich nie erwachsen. Wir genießen es, sie zu streicheln, weil wir Nähe brauchen. Mit einer Katze zu reden, sie anzufassen und ihr in die Augen zu blicken ist manchmal einfacher, als Intimität mit einem Menschen aufzubauen. Katzen geben unserem Leben eine beruhigende Konstanz, die wir gerne als Loyalität deuten.

Boden unter den Füßen
Die Kätzchen fühlen sich am Boden am sichersten und lassen sich gerne liebkosen. Das Streicheln am Kinn befriedigt ihr Bedürfnis, ihren Geruch zu verbreiten.

»Wie riechst denn du?«

»Ich lass mich gern am Kinn kraulen.«

Sozialisation
Kätzchen gewöhnen sich durch Berührungen und gemeinsames Spielen an Menschen, und Kinder lernen, dass die Tiere nach einer Weile genug von ihnen haben.

DOMESTIZIERUNGSEFFEKTE

• Hauskatzen sehen kaum anders aus als ihre wilden Vorfahren aus Nordafrika, aber in den ähnlichen Körpern stecken unterschiedliche Charaktere. Wildkatzen mögen keine Berührungen, nicht einmal von Artgenossen, während zahme Katzen geradezu verschmust sind. Die dramatischste Veränderung hat sich im Gehirn abgespielt, das bei Hauskatzen ein ganzes Drittel kleiner ist als bei den Falbkatzen. Das heißt nicht, dass Hauskatzen weniger oder schlechter denken könnten. Vielmehr sind jene Gehirnregionen kleiner geworden, die nicht mehr so stark beansprucht werden, weil es einfacher geworden ist, sich ein Revier einzuprägen, Futter zu erhalten oder nach Hause zu finden.

Im warmen Schoß

Im Schoß des Mädchens geborgen, kann die Katze zur Ruhe kommen. Behaglich knetet sie das Hosenbein mit den Krallen. Sie dreht den Kopf, um freundschaftlich die Wange an ihrer Betreuerin zu reiben.

Gegenseitiges Verwöhnen

Die Mutterkatze leckt zutraulich Ihre Hand, wie sie es auch mit ihren Kätzchen macht, und Sie genießen es, das weiche Fell zu streicheln. Auch Kindern tut der liebevolle Umgang mit einer Familienkatze gut.

Innige Beziehung

Eine Katze zu streicheln ist sehr entspannend, und sie gibt einen idealen Zuhörer ab. Da sie in Ihnen eine Ersatzmutter sieht, zeigt sie nichts von dem Konkurrenzverhalten, das sie im Umgang mit anderen Katzen meist an den Tag legt.

Der beste Freund der Katze

Für Katzen sind Menschen ein guter Katzenersatz. Oft pflegen sie mit uns herzlichere, entspanntere Beziehungen als mit Artgenossen. Menschen sind für sie fast ideale Gefährten, da wir keine Bedrohung darstellen. Wir konkurrieren nicht mit ihnen um Nahrung, Reviere oder Sexualpartner: Faktoren, die beim Umgang mit anderen Katzen eine Rolle spielen. Wir sind ihnen ähnlich genug, um als Freund akzeptiert zu werden, und trotzdem so verschieden, dass sie uns nicht als Rivalen fürchten. Zwischen einer Katze und einem Menschen, den sie als allmächtige, stets fürsorgliche Mutter ansieht, kann sich eine dauerhafte Freundschaft entwickeln.

Essenszeit

Die Mutterkatze richtet sich auf, um am Futter zu schnuppern und um es einzufordern. Solches Bettelverhalten legen auch Kätzchen an den Tag, wenn ihre Mutter mit einer Maus im Maul von der Jagd heimkehrt.

Gesund bleiben

Katzen sind zum Teil auf Menschen angewiesen, um gesund zu bleiben. Ab und zu muss man sie zum Tierarzt bringen. Gewöhnen Sie Ihre Katze früh an Transporte. Halten Sie sie stets gut fest, wenn Sie sie in den Transportkorb setzen.

Geruchssinn spricht auf das Futter an

»Mmmmh, das riecht aber gut.«

EINSAME KATZENFREUNDE

- Psychologen attestieren »Katzensammlern«, für die die Tiere der wichtigste Lebensinhalt sind, ein übertriebenes Fürsorgeverhalten. Tierärzte wissen, dass starkes Verwöhnen zu Verhaltensstörungen führen kann. Auffällig viele Katzen, die sich hilflos geben oder ständig Aufmerksamkeit einfordern, gehören Alleinstehenden, die mit ihren Tieren reden, als wären es Menschen. Sie lassen die Tiere sicherheitshalber nie nach draußen, fahren wegen ihnen kaum in Urlaub und pflegen manchmal nur wenig Umgang mit anderen Menschen.

Fellpflege

Viele Langhaar-Katzen brauchen Hilfe, um ihr Fell sauber, glatt und glänzend zu halten. Die meisten Katzen lassen sich gerne kämmen, da sich das so ähnlich anfühlt wie früher, als ihre Mutter sie abgeleckt hat.

Die abhängige Katze

Diese Katze richtet sich auf und schnuppert an der Hand ihres Halters. Sie versucht nah genug heranzukommen, um ihren Kopf an ihm zu reiben: ihre Art, ihn zu begrüßen. Hauskatzen bleiben lebenslang auf uns angewiesen, wie Kätzchen auf ihre Mütter. Sie suchen unsere Nähe und verlassen sich darauf, dass wir für sie sorgen.

Stellung der Hinterbeine ermöglicht vollständiges Durchstrecken

Körperkontakt

Ihre Katze ist nicht von Natur aus verschmust und wird sich bei ungewollten Berührungen wehren. Sie ist so anmutig, würdevoll, sauber, souverän und sinnlich, dass es sehr verlockend ist, sie anzufassen. Eine Katze, die nicht ans Hochheben gewöhnt ist, wird es nur zulassen, wenn sie ganz entspannt ist und sich sicher fühlt. Wurde sie als Kätzchen nie gestreichelt, so wird sie sich heftig dagegen wehren. Übertriebenes Streicheln kann gemischte Gefühle auslösen, sodass Ihre Katze Ihnen erst in die Hand beißt und sich danach gleich wieder ankuschelt. Seien Sie vor allem auf der Hut, wenn Sie den empfindlichen Bauch Ihrer Katze kraulen.

»Sei vorsichtig, tu mir nicht weh. Ich bin doch noch so klein und habe ein bisschen Angst vor dir.«

1 Mit beiden Händen
Heben Sie die Katze mit einer Hand unter dem Brustkorb, direkt hinter den Vorderbeinen, hoch und stützen Sie zugleich das Hinterteil ab. So werden Rippen und Beine entlastet.

2 Die Übergabe
Der schlaffe Schwanz und die hängenden Pfoten zeigen, dass die Katze während der Übergabe entspannt ist. Das Kind muss sie mit beiden Händen festhalten, bevor Sie loslassen.

3 Bequeme Haltung
Für eine Katze ist es eigentümlich, im Arm gehalten zu werden. Sie bevorzugt eine aufrechte Haltung und duldet das nur, wenn sie sich bei dem Mädchen wirklich ganz sicher fühlt.

Katzen mögen es,
fest hinter den Ohren
gekrault zu werden

FLÖHE UND HAUTPILZE

- Während Menschen- und Hunde-
flöhe relativ selten sind, vermehren sich
Katzenflöhe üppig, wo immer Katzen auftau-
chen. Hunde- und Menschenflöhe beißen auch
Katzen. Wenn Sie Katzen berühren, vor allem fremde,
oder wenn Sie sich eine neue Katze angeschafft haben,
suchen Sie sie stets auf Flöhe ab. Auch können alle Katzen,
vor allem langhaarige Rassen, Hautpilzinfektionen übertragen – sogar wenn sie selbst symptomfrei bleiben.

Das Kopfreiben

Indem sie ihren Kopf an der Hand reibt, hinterlässt die Katze ihren Geruch. Da sie mit der Zunge nicht hinter ihre Ohren kommt, mag sie es, dort gekrault zu werden. Das Streicheln erinnert sie an das Belecken durch ihre Mutter.

Korrekter Griff

Stützen Sie das Hinterteil des Kätzchens mit der Fläche einer Hand ab, während Sie mit der anderen die Vorderbeine und den Kopf sanft fixieren. Greifen Sie es nie am Nacken, wie seine Mutter es tut, denn dabei kann es sich verletzen. Ein Kätzchen sollte häufig berührt werden, damit es Streicheleinheiten später genießt.

gut abgestützt,
entspannt sich
das Kätzchen

Zeit für die Medizin

Katzen schlagen oder beißen oft, wenn sie Tabletten schlucken sollen. Halten Sie den Kopf fest und beugen Sie ihn zurück, um das Maul zu öffnen. Streichen Sie nach der Verabreichung über die Kehle, um den Schluckreflex auszulösen.

Verträglichkeit

Ihre Katze kann mit vielen Tieren auskommen. Wird ein Kätzchen im Alter von zwei bis sieben Wochen daran gewöhnt, kann es später dauerhafte Freundschaften mit Katzen und anderen Tieren schließen. Wir haben immer das Klischee vom Katzen jagenden Hund im Kopf, aber im Grunde fürchten viele Hunde Katzen. Stellen Sie sicher, dass die ersten Begegnungen zwischen einem Kätzchen und einem potenziellen Gefährten kontrolliert ablaufen und keine Seite die Revieransprüche der anderen verletzt – dann wird die Katze auch später Gesellschaft schätzen. Diese Fähigkeit zur Freundschaft unterscheidet Hauskatzen von ihren wilden Vettern.

Einschüchterung
Die dominante erwachsene Katze verteidigt ihr Zuhause gegen das neue Kätzchen. Fauchend holt sie aus, um nach ihm zu schlagen. Verstört zieht sich das unerfahrene Kleine zurück. Seine stumme Reaktion drückt Verwirrung aus.

An Hunde gewöhnt
Dieses Kätzchen ist vielen Hunden begegnet, als es jünger war, und fürchtet sich nicht vor ihnen oder anderen großen Tieren. Um sich an andere Haustiere zu gewöhnen, sollte ein Kätzchen ab einem Alter von zwei Wochen Umgang mit ihnen haben.

»Wie eine große, zottelige Katze ...«

Erste Begegnung

Zum ersten Mal mit einem Hund konfrontiert, hat dieses Kätzchen Angst. Mit gesträubtem Fell nimmt es eine Abwehrhaltung ein. Geht es diesmal gut, so wird es bei den nächsten derartigen Begegnungen nicht mehr so nervös sein.

REVIERKONFLIKTE

• Am Anfang wird ein bereits etabliertes Haustier nicht begeistert sein, sein Revier mit einem neuen Kätzchen teilen zu müssen. Um es ihm leichter zu machen, lassen Sie Ihren Hund oder Ihre Katze an dem schlafenden Neuankömmling schnuppern. Wenn möglich, wählen Sie ein Kätzchen, das bereits Kontakt zu anderen Tierarten hatte, denn schon nach sieben Wochen kann es keine neuartigen sozialen Bindungen mehr aufbauen. Bedenken Sie aber auch, dass ein Kätzchen, das vor Ihrem Hund keine Angst mehr hat, Ärger mit fremden Hunden bekommen kann. Stellen Sie Ihrer hundefreundlichen Katze nur Hunde vor, die nicht zum Katzenjagen neigen, und sorgen Sie dafür, dass der Hund nicht glaubt, die Katze mache ihm sein Revier streitig.

»Kann ich dir trauen? Du bist so groß ...«

Freundschaft schließen

Diese Kätzchen spielen einträchtig mit der Wolle und miteinander. Die Phase, in der Kätzchen Bindungen aufbauen, ist kurz. Am besten nehmen Sie mehrere Junge gleichzeitig auf, wenn Sie mehr als eine Katze halten wollen.

Mit Menschen spielen

Diese Kätzchen haben entdeckt, dass Menschen gute Spielkameraden sind. Sie haben keine Angst und üben bereits ihr Abwehrverhalten ein, indem sie mit den Vorderpfoten zupacken und mit den Hinterbeinen treten.

Fit und gesund

UNSINN IM SINN Kleine Kätzchen sind sehr umtriebig und lassen keine Gelegenheit aus, zu spielen und herumzutollen.

Wer mit einer Katze zusammenleben will, muss die schwierige Entscheidung treffen, ob sie nach draußen darf oder nicht. Katzen mit Auslauf können ihr natürliches Verhalten ausleben, jagen und herumstrolchen. Sie leben aber gefährlich und haben eine statistisch signifikant kürzere Lebenserwartung. Auch wenn Ihre Katze Sie nicht als Anführer anerkennt wie ein Hund, so sind doch Sie für die Sicherheit einer Freigängerkatze bzw. für das seelische und körperliche Wohl einer Wohnungskatze verantwortlich. Es ist erstaunlich leicht, eine Katze zu lehren, auf Kommando zu Ihnen zu kommen und mit Ihnen zu spielen. Auch die Benutzung einer Katzentoilette in der Wohnung, eines Sandkastens im Garten und der Katzenklappe, die diese Welten miteinander verbindet, ist durchaus schnell gelernt.

Als Katzenhalter haben Sie überdies die Aufgabe, jede Verhaltensänderung Ihrer Katze aufmerksam zu verfolgen, um die manchmal sehr subtilen Hinweise auf eine Erkrankung zu bemerken und gegebenenfalls einen Tierarzt aufzusuchen. Mit einer in Würde gealterten Katze zusammenzuwohnen kann Ähnlichkeiten mit der Pflege eines Alzheimer-Patienten haben, aber selbst unter solchen erschwerten Umständen werden wir durch die Zuwendung dieser Tiere, die sich entschlossen haben, an unserer Seite zu leben, reich belohnt.

ZUSAMMEN ENTSPANNEN Katzen sind an sich nicht gesellig, doch können sich zwei Tiere, die sich gut kennen und mögen, in inniger Freundschaft zugetan sein – auch wenn manchmal vielleicht zwischen beiden die Fetzen fliegen.

Fressgewohnheiten

Katzen sind Gelegenheitsräuber. In der Natur überleben sie, indem sie fressen, wann immer sie etwas erbeuten oder finden. Für gewöhnlich nehmen sie zehn bis zwanzig kleine Mahlzeiten am Tag zu sich, und zwar rund um die Uhr. In menschlicher Obhut verhalten sie sich jedoch ganz anders. Ihre Hauskatze ernährt sich vielseitiger als die Selbstversorger, von denen sie abstammt. Trockenfutter gehört zwar nicht zu ihrer natürlichen Nahrung, viele Hauskatzen mögen aber diese knackigen, mundgerechten Häppchen.

In Eintracht fressen

Um nicht mit ihren kleinen Kätzchen zu konkurrieren, hat diese Mutter ihren Anteil aus dem Napf geholt und vertilgt ihn nebenan. Reicht man ihr einen großen Brocken, so zerlegt sie ihn in kleinere Teile, die sie dann einzeln frisst.

»Mmmmh, das ist lecker! Zu zweit trinken macht doppelt Spaß.«

Sicher und bequem

Diese Katze hat sich zum Fressen zusammengekauert und die Beine bequem unter den Körper gezogen. Der Schwanz liegt am Körper an, damit niemand versehentlich darauf tritt. So kann sie sich ganz auf den Napf konzentrieren.

Trockene Happen

Diese Katze hat zum ersten Mal Trockenfutter bekommen und bleibt beim Ausprobieren zunächst vorsichtig stehen.

ÜBERGEWICHT BEI KATZEN

• Katzen werden nur dick, wenn sie mehr Kalorien aufnehmen, als sie verbrennen. Wilde Katzen verfetten selten, zahme hingegen häufig – vor allem reine Wohnungskatzen. Tierärzte schätzen, dass über ein Drittel aller Katzen, die sie zu Gesicht bekommen, übergewichtig ist. Eine Sterilisation verstärkt die Neigung zur Fettleibigkeit. Sterilisierte Katzen sollten daher 10–20 Prozent weniger Futter bekommen.

Eingebaute Schere

Mit ihren rasiermesserscharfen seitlichen Reißzähnen zerteilt die Katze große Futterklumpen vor dem Herunterschlucken in kleine Stücke. Die kurzen, frontalen Schneidezähne dienen dem Abkratzen kleiner Fleischfasern von Knochen.

Milch schlecken

Mit ihren beweglichen Zungen nehmen die Kätzchen vor jedem Schluck vier- bis fünfmal ein wenig Milch auf. Sie sind dabei so geschickt, dass kaum ein Tropfen danebengeht. Milch sollte übrigens nicht pur gereicht, sondern stets mit Wasser verdünnt werden.

Bewegungsfreiheit

Obwohl sie viel schlafen, brauchen Katzen auch viel Bewegung. Zu ihren Lieblingsbeschäftigungen zählen Gänge durchs Revier, bei denen neue Markierungen angebracht werden. Eine Katze, die nicht nach draußen darf, sitzt oft stundenlang am Fenster und schaut hinaus. Wenn sie etwas Aufregendes oder Beunruhigendes entdeckt, kann sie sich mit erhobenem Schwanz im Rückwärtsgang einem Möbelstück nähern. In der Wohnung Urin zu verspritzen ist ihre Art, gegen den Stubenarrest zu protestieren. Dieses Verhaltensproblem tritt fast immer auf, wenn eine Katze kaum nach draußen darf oder mit zu vielen anderen Katzen zusammenleben muss.

»Mal sehen,
ob alles in Ordnung ist.«

Schwanz hält das Gleichgewicht

Grenzpatrouille

Wenn Ihre Katze auf der Gartenmauer entlangläuft, kontrolliert sie wahrscheinlich ihre Reviergrenze. Katzen übernehmen oft unsere Grenzen, also Zäune und Mauern. Solange das Wetter es zulässt, laufen sie sie täglich ab, um frische Duftmarken zu hinterlassen. Auf diese Weise bleiben sie nicht nur fit, sondern auch geistig wendig und trainieren überdies ihren Gleichgewichtssinn.

NACH HAUSE FINDEN

• Katzen haben einen guten Orientierungssinn. Wissenschaftler haben festgestellt, dass sie aus einer Entfernung von bis zu einem Kilometer sicher nach Hause finden. Für alle Fälle kann man seiner Katze heute einen Mikrochip von der Größe eines Reiskorns unter die Haut pflanzen lassen, aus dem der Name und die Adresse des Besitzers mit einem Scanner ausgelesen werden können. Manche Chips enthalten auch ein Thermometer, was das Fiebermessen für Tier und Tierarzt leichter macht. Dank der Miniaturisierung gibt es auch Halsbänder mit GPS-Geräten, die sich auf wenige Meter genau orten lassen.

»Nett von euch: eine Tür nur für mich.«

neugierig aufgestellte Ohren

An die frische Luft

Ihre Katze ist in der Morgen- und Abenddämmerung am aktivsten. Oft will sie schon früh hinaus, wenn Sie noch schlafen. Eine Katzenklappe macht es möglich. Um sie anfangs daran zu gewöhnen, können Sie sie mit Leckereien hindurchlocken. Sie sollten jedoch auf Katzen aus der Nachbarschaft achten, die Ihrer Katze womöglich ins Haus folgen und dieses als ihr Revier zu okkupieren versuchen.

Tasthaare messen die Breite des Durchlasses

Ans Haus gefesselt

Diese Wohnungskatze beobachtet die Außenwelt intensiv durch das Fenster. Entdeckt sie einen Vogel, so klappert sie vielleicht mit den Zähnen oder zuckt mit dem Schwanz. Wenn sie nicht genug Auslauf hat, so kann sie sehr nervös werden.

Bein zielstrebig vorgestreckt

Spiele mit dem Kätzchen

Spiele wirken zweckfrei, aber in der Natur hat fast alles eine Funktion – auch das Spiel junger Katzen. Mit drei Wochen fangen Kätzchen an, sich mit Dingen zu befassen. Erst schlagen sie nur nach beweglichen Objekten, dann halten sie sie fest und erkunden alles, was ihre Neugier weckt. Haben sie in diesem Alter Umgang mit Menschen, so beziehen sie diese gerne ins Spiel ein und betrachten sie später als Angehörige. Sowohl Spiele mit Dingen als auch Spiele mit Gefährten dienen der Vorbereitung aufs spätere Leben.

Jagdgeschick

Das dunkle Kätzchen ist ganz auf den Ball fokussiert. Dieses Konzentrationsvermögen ist später wichtig für die Jagd. Das weniger geduldige rote Kätzchen hat sich vom Ball ab- und dem Geschwister zugewandt.

Ohren nach vorn gerichtet, um Geräusche einzufangen

»Warum guckst du denn so?«

Kätzchen starrt den Ball an

»Komisch: Es läuft, aber ich höre nichts.«

SPIELE MIT DINGEN

• Indem es sich mit verschiedenen Gegenständen wie Blättern, kleinen Bällen und anderem Spielzeug beschäftigt, lernt das Kätzchen seine Umwelt kennen. Um später erfolgreich Beute zu machen, muss es wissen, wie sich Dinge bewegen, wie sie auf Berührung reagieren und wie sie dabei klingen. Die Gehirnzellen von Kätzchen, die nichts zum Spielen haben, verkümmern und bilden weniger Verknüpfungen aus.

Das Lieblingsspielzeug

Kleine Bälle sind ein beliebtes Spielzeug, da sie zu leben schei-nen. Mit acht Wochen hat das Kätzchen seine Pfoten voll unter Kontrolle und hält den Ball sicher fest. Wie ein kleines Kind ist es nicht bereit, ihn mit seinem Geschwister zu teilen.

Bewegliche Ziele

Die Kätzchen warten, dass sich der Ball bewegt. Das rote stößt ihn schließlich an und jagt ihm nach. Zu lernen, dass sich ein Ball lautlos bewegt, ist ebenso wichtig wie die Erfahrung, dass es kracht, wenn ein Zweig bricht.

Mit Menschen spielen

Mit kleinen Kätzchen sollte man täglich mindestens 40 Minuten spielen, damit sie später entspannt und freundlich auf Men-schen reagieren. Regelmäßiger Kontakt macht sie zutraulicher und neugieriger.

Sinnvolle Beschäftigung

Wenn die überschüssige Energie Ihrer Katze nicht in geordnete Bahnen gelenkt wird, kann sie destruktiv werden. Schließlich muss sie sich nicht selbst um ihre nächste Mahlzeit kümmern oder durch die Gegend pirschen. Gelangweilte Katzen toben sich in Wohnungen aus, zerkauen Zimmerpflanzen, zerkratzen Möbel oder klettern am Vorhang hoch. Manche geraten für einige Minuten regelrecht in Rage und rennen hin und her, um die angestaute Energie loszuwerden. Andere nuckeln an Wolle, vor allem, wenn sie zu früh entwöhnt wurden. Um solche Probleme zu vermeiden, sorgen Sie für eine stimulierende Umgebung und Möglichkeiten zum Austoben.

»Schmeckt nicht, aber mir ist langweilig.«

Knabbern

Dass Katzen nur Gras fressen, wenn sie sich den Magen verdorben haben, ist ein Mythos. Obwohl sie Fleischfresser sind, knabbern viele Katzen an Grünzeug – zur Not an Topfpflanzen. Schaffen Sie daher giftige Zimmerpflanzen ab.

Nuckeln

Wenn junge Kätzchen an Wolldecken oder an Ihnen saugen, sind sie wahrscheinlich zu früh entwöhnt worden. Siamesen fangen oft noch nach über einem halben Jahr mit dem Nuckeln an: ein erblich bedingtes Verhaltensproblem.

GEISTIGE STIMULATION

● Mit manchen Spielzeugen wie Bällen beschäftigen sich Katzen allein. Andere, wie die Federn an der »Angel«, dienen dem gemeinsamen Spiel von Mensch und Katze. Mit Katzenminze präparierte Objekte animieren viele, aber nicht alle Katzen zum Herumwälzen und Reiben.

Feder- und Pelzobjekte mit Katzenminzefüllung

flauschiger Köder

bunte Bälle

»Angeln«

Kratzbaum

Ihre Katze muss kratzen können. Oft hat sie nach dem Aufwachen das Bedürfnis, ihre Krallen in etwas hineinzuschlagen – so, wie wir uns morgens räkeln. Schaffen Sie einen Kratzbaum an, dann bleiben Ihre Möbel und Tapeten heil.

Bewegliches Ziel

Auf den Hinterbeinen stehend und mit geradem Schwanz das Gleichgewicht haltend, untersucht die Katze das schaukelnde Spielzeug: tastet und schnüffelt, beißt hinein und stupst es an. Da es zu reagieren scheint, kann sie sich stundenlang damit beschäftigen.

Erziehung

Entgegen anderslautenden Gerüchten sind Katzen durchaus erziehbar. Sie lernen ständig, auch wenn sie auf Erziehungsmethoden, die bei Hunden gut funktionieren, nicht ansprechen. Damit eine Katze etwas Bestimmtes tut, muss sie es entweder wollen, oder Sie müssen sie glauben machen, sie wolle es. Katzen lassen sich gut konditionieren.

Bohnensäckchen
Werfen Sie einen kleinen Bohnensack in die Nähe Ihrer Katze, wenn sie z. B. versucht, den Vorhang hochzuklettern.

Krachmacher
Lärm ist eine wirksame Abschreckungstaktik. Vor allem blechernes Scheppern erschreckt Katzen.

Sprühflasche
Katzen werden nicht gern nass. Ein kleiner Wasserstrahl aus der Sprühflasche hält Krallen von Tapeten und Gardinen fern.

Öffnung auf gebündelten Strahl einstellen

Angemessene Strafe
Wenn Sie Ihre Katze bei einem Fehlverhalten erwischen und den Sprüher zur Hand haben, feuern Sie gleich einen Strahl ab. Werden Sie nicht laut, weil die Katze die Strafe sonst mit Ihnen assoziiert.

»Das ist von selbst abgefallen, ehrlich!«

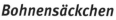

Aluminiumfolie

Verrichtet Ihre Katze ihr Geschäft außerhalb der Katzentoilette, breiten Sie an der Stelle Alufolie aus. Das Gefühl unter den Pfoten ist so unangenehm, dass sie bald die Toilette vorziehen wird.

POSITIVE VERSTÄRKUNG

● Die hier gezeigten Formen der »aversiven Konditionierung« sollten stets durch »positive Verstärkung« ergänzt werden, also die Belohnung durch Leckereien, sanfte, lobende Worte und Streicheleinheiten, wenn Ihre Katze ihr Verhalten in die gewünschte Richtung modifiziert hat – wenn sie zum Beispiel einen Kratzbaum verwendet, statt ihre Krallen in die Polstermöbel zu schlagen. Es ist ein Leichtes, Ihrer Katze beizubringen zu kommen, wenn Sie sie rufen: Setzen Sie ihre Lieblingsleckerei als Köder und zugleich als Belohnung ein. Wenn sie gleichzeitig ein attraktives Geräusch hört wie das Rasseln der Leckerchen-Dose, wird sie noch lieber gehorchen.

2 – und ausgetrickst!

Die Katze will zum verführerischen Grün, tritt auf den Papierbogen und rutscht aus: eine echte »Falle« – auch ohne Mausefalle!

1 Vorwärtsverteidigung

Sie können nicht ständig auf Ihre Katze aufpassen. Manchmal helfen »Fallen«, den Missetäter in Abwesenheit zu disziplinieren. Stellen Sie zum Beispiel Töpfe und Pfannen auf die Küchenarbeitsfläche, die scheppernd herunterfallen, wenn die Katze hinaufspringt, oder stellen Sie eine gefährdete Pflanze auf ein Blatt Papier.

sanfter Nasenstüber

Direkte Vergeltung

Wenn Ihre Katze Sie als Kratzbaum missbraucht oder an Ihrer Kleidung nuckelt, geben Sie ihr einen sanften Klaps auf die Nase, ohne ihr wehzutun. Strafen Sie so nur, wenn das Fehlverhalten direkt auf Sie abzielte.

Verhaltensprobleme

Katzen mögen es aufregend finden, Möbel zu zerkratzen, in Knöchel zu beißen und Schuhe zu zerlegen, aber wir können solche Verhaltensweisen nicht hinnehmen. Mit dem richtigen Ansatz lassen sich die meisten Unsitten abstellen, doch zunächst sollten Sie Ihren Tierarzt fragen, ob eine Verhaltensänderung gesundheitliche Gründe haben könnte. Bevor Sie ein Fehlverhalten korrigieren, sollten Sie auch herausfinden, ob es durch Stress ausgelöst wurde, und diesen gegebenenfalls reduzieren. Manchmal genügt es schon, einen Kletter- und Kratzbaum oder ein paar Spielzeuge anzuschaffen, denen die Katze nachstellen kann, um ihren Jagdtrieb auszuleben.

Häufige Stressursachen

Stress führt vor allem dann zu Verhaltensstörungen, wenn eine Katze ihre »Ressourcen« in Gefahr sieht, also ihr Revier (vor allem das Haus) und die Zuwendung, die Sie ihr schenken. Eine weitere Katze, ein Baby, ein Welpe oder ein fremder Gast im Haus kann Gefühlswirren auslösen, die sich durch Kratzen, Urinspritzen und Kotabsetzen artikulieren.

Tyrannen

Aggressivität gehört zum normalen Verhaltensrepertoire einer Katze und kann verschiedene Formen annehmen. Ausgelöst wird sie unter anderem durch Schmerz oder Übererregung beim wilden Spiel. Gegenüber gewohnten tierischen Gefährten tritt sie auch auf, wenn diese eine Weile fort waren, zum Beispiel in einer Tierklinik.

»Was willst du schon wieder hier?«

»Hau ab, ich bin heute nicht gut drauf.«

WO GIBT ES HILFE?

• Verhaltensstörungen von Katzen können lästig, ja sogar sehr störend werden, aber die meisten sind recht weitverbreitet, gut untersucht und korrigierbar. In der Tierklinik Ihres Vertrauens wird man Ihnen meistens weiterhelfen können, vor allem bei der Unterscheidung zwischen rein psychischen Problemen und solchen mit organischen Ursachen. Hilfe finden Sie auch unter folgenden Internetadressen:
– www.gtvt.de (Gesellschaft für Tier-Verhaltenstherapie, Zusammenschluss von Tierärzten mit Zusatzausbildung Verhaltenstherapeut)
– www.tierpsychologie.de (Verband der Haustierpsychologen)
– www.vieta.ch (Berufsverband der tierpsychologischen Berater in der Schweiz)

Bisse beim Streicheln

Solche »Liebkosungsaggressionen« sind weitverbreitet: Eine Katze, die Ihre Streicheleinheiten zu genießen scheint, schlägt oder beißt plötzlich zu. Manchmal tut sie nur so als ob, aber manchmal setzt die Beißhemmung wirklich aus. So zeigen Katzen, dass sie gemischte Gefühle haben: Einerseits genießen sie Ihre Berührungen, weil diese sie an das Belecken durch die Mutter erinnern, andererseits haben nicht verwandte, erwachsene Katzen nur beim Kämpfen und Paaren so engen Körperkontakt. Diese Ambivalenz macht viele Katzen einfach nervös.

Hinterbeine strampeln und treten

Krallen bleiben eingezogen

Katze beißt spielerisch zu

»Ich wollte dir nicht wehtun!«

Verhaltensprobleme Fortsetzung

Zimmerpflanzen fressen

Stellen Sie sicher, dass Ihre Katze keinen Schaden nehmen kann, wenn sie an einer Zimmerpflanze knabbert. Alle Pflanzen – giftig oder nicht – sollten außer Reichweite gehalten werden, z. B. in Ampeln. Besprühen Sie die Blätter mit einem handelsüblichen Abschreckungsspray, falls sie zu Boden fallen können.

»Ob die wohl lecker schmeckt?«

Urin verspritzen

Katzen markieren ihr Revier, indem sie Urin verspritzen – Kater am häufigsten, aber auch Kätzinnen und manchmal sogar kastrierte Tiere. Oft ist Stress der Auslöser. Solange Sie den Auslöser noch nicht gefunden haben, sperren Sie Ihre Katze am besten in einen großen Käfig, wenn sie allein zu Hause ist. Es sollte genug Platz für eine Toilette, eine Liegedecke, eine Futter- und eine Wasserschale geben.

Krallen werden an Möbeln gereinigt und geschärft

DOPPPELSTRATEGIE

● Die Behebung von Verhaltensproblemen gelingt am besten mit einem doppelten Ansatz: »Anziehung« und »Abschreckung«. Das Prinzip Anziehung leuchtet leicht ein: Katzen haben zahlreiche natürliche Bedürfnisse wie die Reviermarkierung mit Urin, Kot und Kratzern. Stellen Sie ihnen dafür im Haus und Garten attraktive Orte zur Verfügung. Damit sie die Blumenbeete in Ruhe lassen, erlauben Sie ihnen, in einem eigenen Sandkasten zu graben. Abschreckung soll zur Meidung bestimmter Orte oder Verhaltensweisen führen (siehe Seite 82–83). Wenn Sie zum Beispiel einen Wasserstrahl einsetzen, achten Sie darauf, dass die Katze nicht Sie mit der »Strafe« assoziiert, sondern ihr Fehlverhalten.

Möbel zerkratzen

Kratzen ist für eine Katze so normal wie das Absetzen von Harn und Kot. Es übt die Motorik, schärft die Krallen und kräftigt die Muskeln. Kratzer sind auch gut sichtbare Reviermarkierungen. Dieses angeborene Verhalten können Sie Ihrer Katze nicht abgewöhnen, aber es lässt sich auf einen Kratzbaum umlenken. Berücksichtigen Sie ihre Vorliebe für vertikale Kratzer, stellen Sie den Kratzbaum da auf, wo sie gerne markiert, und setzen Sie gegebenenfalls Katzenminze als Lockstoff ein.

Auf Tische und Arbeitsflächen springen

Auf Küchentischen und -arbeitsflächen liegt oft Essbares herum. Packen Sie Lebensmittel immer gleich weg, um ein solches Fehlverhalten nicht noch zu belohnen. Aber es geht nicht nur um Futter: Katzen überwachen ihren Besitz gerne von einer erhöhten Warte aus. Am besten schaffen sie für Ihre Katze einen separaten erhöhten »Ansitz«.

Katze bevorzugt hohe Position

»Das ist alles mein Revier!«

Gesundheitscheck

Katzen schätzen feste Gewohnheiten, daher können kleine Abweichungen von der Routine auf Gesundheitsprobleme hinweisen. Da Katzen meist so tun, als wäre alles in Ordnung, ist es Ihre Aufgabe, das zu überprüfen. Gewöhnen Sie Ihre Katze früh daran, von Ihnen angefasst zu werden, etwa beim Spiel. Sie muss zulassen, dass Sie ihr regelmäßig das Maul öffnen, den Bauch abtasten und ihr in die Ohren schauen. Anzeichen von Unwohlsein können Sie rechtzeitig erkennen: Schläft sie nicht mehr am üblichen Platz, vermeidet sie das Klettern, frisst oder trinkt sie mehr bzw. weniger? Selbst kleine Veränderungen können auf ernste Probleme hindeuten.

Veränderungen der Zahnfleisch- und Lippenfarbe

Die Farbe des Zahnfleischs hängt vom Kreislauf und vom Sauerstoffgehalt der roten Blutkörperchen ab. Ist es plötzlich nicht mehr rosa, sollten Sie tierärztlichen Rat einholen. Untersuchen Sie auch das Kinn und die Lippen auf Entzündungen, Schwellungen oder übel riechende Stellen. Konstant schwarz pigmentierte Hautstellen sind hingegen normal.

Atembeschwerden

Normalerweise atmen Katzen so mühelos, dass man es kaum mitbekommt. Schwierigkeiten können durch Atemwegsinfektionen oder Asthma bedingt sein, eine ernste, ja lebensbedrohliche Krankheit. Auch Brustkorb- oder Zwerchfellverletzungen beeinträchtigen die Atmung stark. Gehen Sie zum Tierarzt, wenn Ihre Katze ohne erkennbaren Grund keucht.

Trägheit

Obwohl sie als Faulpelze gelten, sind die meisten Katzen doch bis zu acht Stunden am Tag wach und aktiv. Übermäßige Lethargie kann selbst bei »Couch-Potatoes« krankheitsbedingt sein; bringen Sie das Tier sofort zum Arzt. Wenn Übergewicht die Ursache ist, hilft meist eine Diät.

Keuchen deutet oft auf Atembeschwerden hin

starke Bewegungen des Brustkorbs können ebenfalls Anzeichen von Atemnot sein

HYPERAKTIVE SENIOREN

• Katzen können bis ins hohe Alter verspielt bleiben, aber wenn Ihre alte Katze plötzlich wie ein Kätzchen herumspringt, sollten Sie aufmerken. Sowohl Diabetes als auch eine Schilddrüsenüberfunktion – beides Krankheiten, die im Alter häufiger werden – können zu Gewichtsverlust und Überaktivität führen. Katzen mit Diabetes fressen oft mehr, trinken sehr viel und werden dünner. Bei einer Schilddrüsenüberfunktion bleibt der Durst meist unverändert, das Tier wird aktiver und nimmt ab. Zur Diagnose ist ein Bluttest nötig. Beide Krankheiten lassen sich medikamentös behandeln.

Veränderter Appetit oder Durst

Nachlassender Appetit ist ebenso Grund zur Sorge wie übermäßige Fresslust, die auf Schilddrüsenüberfunktion oder Diabetes hinweisen kann. Ihre Katze sollte genug trinken, aber auch ein Zuviel kann auf eine Reihe von Stoffwechselkrankheiten hindeuten. Wird Ihre alte Katze trotz guten Appetits dünner, lassen Sie ihre Schilddrüse untersuchen. Gewichtsabnahme trotz großem Hunger ist ein Diabetessymptom.

»Heute schmeckt mir gar nichts.«

Stellung der Hinterbeine zeigt Desinteresse an

Dehydration

Ziehen Sie die Nackenhaut Ihrer Katze hoch und lassen Sie sie los. Dauert es lange, bis die Falte verschwindet, ist das Tier dehydriert. Bei älteren oder dicken Katzen können Sie auch das Zahnfleisch betasten: Bei Dehydration ist es trocken und klebrig. Die Ursache kann Durchfall, Erbrechen, übermäßige Urinabgabe oder zu geringe Wasseraufnahme wegen Übelkeit sein.

Gewichtsverlusten sollte man stets nachgehen

Im Alter

Wenn Ihre Katze alt wird, kann sich ihr Wesen verändern. Manche werden mürrisch und reizbar, andere hingegen verschmuster und anhänglicher. Das Alter kann auch den Appetit beeinflussen: Die Katze bevorzugt vielleicht andere Lebensmittel, möchte regelmäßiger gefüttert werden oder frisst unregelmäßiger. Der allmähliche Wandel, der mit dem Altern einhergeht, ist leider nicht aufzuhalten, aber eine ältere Hauskatze ist ein ebenso angenehmer Gefährte wie ein Kätzchen. Man muss sich nur ein wenig auf ihre Bedürfnisse in der zweiten Lebenshälfte einstellen. Eine gut versorgte Katze kann über 15 Jahre alt werden.

Zunehmen
Dieser rote Perser hat im Alter ein paar Pfund zugelegt. Sein Fell ist stellenweise verfilzt, weil er sich kaum noch richtig putzen kann. Gesunde Katzen werden im Allgemeinen nicht zu dick. Anders als Hunde fressen sie nicht mehr als sie brauchen – wenn ihre Halter sie nicht unabsichtlich dazu erziehen.

»Ich fühl mich müde und schwach.«

Übergewicht durch Bewegungsmangel

Fell verfilzt, wenn die Pflege mühsam wird

Sehkraft lässt nach

»Ich mach jetzt alles langsamer.«

Gewichtsverlust ist bei alten Katzen häufig

KATZENJAHRE

• Katzen werden älter als je zuvor, da sich die Krankheitsvorbeugung, medizinische Versorgung und Ernährung verbessert haben und viele in Wohnungen leben. Daher stimmt es nicht mehr, dass sieben Menschenjahre einem Katzenjahr entsprechen. Diese Tabelle ermöglicht einen genaueren Vergleich zwischen ihrem und unserem Alter.

KATZE	MENSCH
1 Monat	10 Monate
3 Monate	7 Jahre
6 Monate	9 Jahre
1 Jahr	24 Jahre
2 Jahre	36 Jahre
3 Jahre	42 Jahre
4 Jahre	45 Jahre
5 Jahre	48 Jahre

... und so weiter, im Verhältnis 1 (Katze) zu 3 (Mensch) ...

18 Jahre	87 Jahre
19 Jahre	90 Jahre
20 Jahre	93 Jahre

Abmagern
An ihrem Lebensabend ist diese Katze ziemlich hager geworden. Eine Überfunktion der Schilddrüse führt bei manchen Katzen zu Überaktivität und damit zu einer starken Abnahme. Auch Diabetes, Nierenversagen oder eine andere Krankheit kann der Grund sein.

Charakterbeurteilung

Katzenhalter wissen, dass jede Katze ein Individuum mit eigener Persönlichkeit ist. Diese Einzigartigkeit genau zu fassen, ist jedoch schwer. Alle Katzen verfügen über dasselbe Verhaltensrepertoire. Erst die verschieden starke Ausprägung einzelner Züge macht das Temperament aus – bestimmt durch Gene, Hormone, die Umgebung des Tieres und alles, was es lernt. Die meisten Individuen einer Rasse haben bestimmte Charakterzüge, die als »Rassemerkmale« gelten, und es gibt gewisse Zusammenhänge zwischen Persönlichkeit und Rasse. Siamesen sind zum Beispiel dafür bekannt, lauter und stimmfreudiger als andere Katzen zu sein.

Durchwachsenes Image
Viele Leute asoziieren Katzen mit Wärme, Sinnlichkeit, Weichheit, Mütterlichkeit bzw. Weiblichkeit. Das ist gut für die Tiere, da wir uns gerne um sie kümmern. Leider glaubt fast jeder vierte Mensch, dass Katzen hinterlistig, boshaft und unehrlich seien, und verachtet sie entsprechend.

Scheue Persönlichkeit
Diese langhaarige Schildpatt-Katze ist stärker in sich gekehrt und stiller als der Durchschnitt. Diese Züge könnten genetisch an die Haarlänge gekoppelt sein.

Orientalisches Temperament
Katzen mit langen, schlanken Körpern sind mit höherer Wahrscheinlichkeit gesellig und extrovertiert als ihre kompakter gebauten Cousins. Sie sind revierbewusster, oft auch stimmgewaltiger, und äußern ihre Gefühle stärker.

DIE PERSÖNLICHKEIT IHRER KATZE

• Katzenhalter sind im Allgemeinen sehr genaue Beobachter. Sie über das Verhalten ihrer Tiere zu befragen, ist für Wissenschaftler eine gute Möglichkeit, das Wesen von Katzen zu erforschen. Mit diesem Fragebogen können Sie selbst mehr über Ihre Katze erfahren und sie ganz einfach einordnen. Beantworten Sie die Fragenblöcke separat und zählen Sie jeweils die Punkte zusammen, um zu erfahren, wie menschenfreundlich, lebhaft und gesellig Ihre Katze ist.

Kreuzen Sie für jede Aussage das passende Kästchen (1 bis 5) an.	Fast immer (1)	Meistens (2)	Mal so, mal so (3)	Selten (4)	Fast nie (5)	Beurteilen Sie die Persönlichkeit Ihrer Katze, indem Sie die Punkte abschnittsweise addieren.
1. Meine Katze						**1. Menschenfreundlichkeit**
lässt sich anfassen						Ein niedriger Wert (max. 12) bedeutet, dass Ihre Katze sehr umgänglich und gut an Menschen gewöhnt ist. Katzen, die ohne Kontakt zu Menschen aufgewachsen sind, bleiben scheu und werden meist hohe Werte erzielen.
ist anschmiegsam						
fordert Aufmerksamkeit						
ist selbstsicher						
akzeptiert Fremde						
2. Meine Katze						**2. Lebhaftigkeit**
ist leicht erregbar						Je weniger Punkte, desto lebhafter und munterer ist die Katze. Solche Tiere haben oft überschüssige Energien und werden destruktiv, wenn man sie nicht beschäftigt. Ein hoher Wert (über 15) deutet auf Zurückhaltung oder Trägheit hin.
gibt Laute von sich						
ist verspielt						
ist aktiv						
macht Sachen kaputt						
ist selbstständig						
3. Meine Katze						**3. Katzenverträglichkeit**
fürchtet sich vor bekannten Katzen						Katzen, die gerne Artgenossen um sich haben, erzielen hohe Werte (über 12) und sind oft von klein an mit anderen Katzen zusammen. Einen niedrigen Wert haben Katzen, die zu revierbewusst oder zu unflexibel sind, um Artgenossen in der Nähe zu dulden.
feindet fremde Katzen an						
ist ein Einzelgänger						
ist aggressiv						
ist nervös						

Register

Dank / Bildnachweis

DANK DES AUTORS

In der Danksagung für *Know Your Cat* – das Werk, auf dem dieses Buch basiert – habe ich geschrieben: »Es war mein Vater mit seiner Tierschar, der in mir von Kindesbeinen an ein Interesse am Verhalten von Tieren geweckt hat. Heute ist er über achtzig, gesund und stolz wie Oskar auf das, was sein jüngster Sohn tut. Ich hoffe, er zeigt dieses Buch mit Vergnügen in seinem Freundeskreis herum.«

Mein Wunsch ist in Erfüllung gegangen! Bis er im Alter von 95 Jahren den Führerschein abgab, hat er ein Exemplar des Buches im Kofferraum seines Wagens aufbewahrt und meine Danksagung jedem unter die Nase gehalten, der sie sehen wollte – und allen anderen auch.

Ich konnte das ursprüngliche Buch nur erweitern, weil meine Kolleginnen und Kollegen mir Arbeit abgenommen haben, sodass ich Zeit zum Schreiben hatte. Die Ärzte Veronica Aksmanovic und Grant Petrie und das Schwesternteam – Ashley McManus, Suzi Gray, Angela Bettinson und Hester Small – sind einfach großartig.

Das gilt auch für das Team bei Sands Publishing Solutions: David und Sylvia Tombesi-Walton und Simon Murrell. Wir haben schon früher gut zusammengearbeitet und sollten das fortsetzen.

Vielen Dank auch an Miezan van Zyl, Sarah Larter und Phil Ormerod von DK, die dafür gesorgt haben, dass das Buch den gleichbleibend hohen Qualitätsansprüchen des Verlags entspricht.

DANK DER FOTOGRAFIN

Jane Burton dankt Hazel Taylor, Sue Hall, Di Everett, Les Tolley und Jane Tedder für ihre Hilfe beim Katzensuchen, -hüten und -füttern, Carolyn Woods für weitere Katzen zum Fotografieren sowie Arabella Grinstead und Louisa Hall fürs Modellstehen.